STARGATE SG-1™

ENFANTS DES DIEUX

Basé sur une histoire et des personnages imaginés par

Dean Devlin et Roland Emmerich

D'après le scénario et la novélisation de

Ashley McConnell

STARGATE SG-1™

ENFANTS DES DIEUX

Traduit de l'américain par Anne Busnel

Éditions J'ai lu

REMERCIEMENTS

Un merci tout particulier à Laura Anne Gilman,
Jennifer Jackson et Sue Phillips, sans qui... etc.;
également aux producteurs de STARGATE SG-1, qui m'ont
aimablement fourni les éléments indispensables
à la rédaction de ce roman. Et, bien sûr,
à Jonathan Glassner et à Brad Wright,
les auteurs du scénario auquel j'espère avoir rendu justice.

1

La pièce se situait à l'étage – 28, enfouie dans les entrailles de la montagne. Il y régnait le froid le plus intense.

Le froid, l'obscurité, et un ennui profond. R.A.S.

C'était bien un truc de militaires : cacher d'importantes infrastructures sous des tonnes de granite, dans l'espoir que personne ne les trouve ; ou si d'aventure un ennemi passait les différents capteurs, détecteurs de présence et autres gardes armés, qu'il renonce finalement, impressionné par cette énorme masse de rocaille.

Il arrive aussi que les militaires enterrent dans le ventre des montagnes des choses qui ne doivent pas en *sortir*.

En l'occurrence, une raison majeure justifiait l'existence de cette salle protégée par tous ces systèmes de sécurité et cernée de nombreux couloirs, pièces et galeries. Cette raison s'élevait sur une hauteur de trois étages. Elle avalait la lumière, comme si le béton et l'acier avaient absorbé les radiations sans rien refléter.

Tout autour était disposé un matériel des plus sophistiqués : consoles, écrans, machinerie informatique, le tout protégé de la poussière par de grandes housses en plastique transparent. Mais ce qui attirait l'attention, c'était l'objet en soi, qui se dressait au centre de la pièce : une énorme forme ronde et plate, semblable à une galette posée sur la tranche, recouverte elle aussi d'une bâche de protection qui la dissimulait aux regards.

En hauteur, face à l'objet, la baie vitrée d'une salle d'observation prenait presque toute la cloison. Une passerelle grillagée partait du sol et s'élevait jusqu'au disque bâché. Mais pour l'heure, l'accès était condamné par des traits de peinture jaunes et noirs tracés par terre en alternance, ainsi qu'une pancarte qui annonçait : DÉFENSE D'APPROCHER.

Si on levait les yeux, on apercevait à travers la baie vitrée de la salle d'observation une autre pièce située en retrait. De toute évidence, il s'agissait d'une salle de réunion. Sous les housses plastifiées, on reconnaissait une grande table ronde, des chaises, un rétroprojecteur, et même un de ces tableaux blancs un peu magiques, sur lesquels il suffisait de presser un bouton pour qu'un scanner enregistre les informations écrites et les envoie directement à l'imprimante.

Pour le moment, cet équipement high-tech était à l'abandon. On voyait bien que la dernière réunion ne datait pas d'hier.

Dans la grande salle, seuls s'élevaient le crachotement d'un néon sur le point de s'éteindre et un murmure de voix qui ne suffisait pas à meubler autant d'espace.

Au pied de la rampe d'accès, une table pliante était posée à cheval sur la frontière jaune et noir, comme si avec le temps l'interdiction avait perdu toute signification. Cinq personnes étaient assises là, une femme et quatre hommes. Tous les cinq étaient des militaires et des experts en sécurité triés sur le volet ; des vétérans, aussi expérimentés qu'efficaces.

Qui s'ennuyaient à mourir.

Ils jouaient au poker.

Leurs armes, des fusils-mitrailleurs, étaient appuyées contre le mur près de l'entrée, hors de portée. Dans cette salle immense à l'étage – 28, là où même une bombe thermonucléaire n'aurait pu les atteindre, les hommes avaient posé leurs pieds sur la table et mâchonnaient leurs cigares. Cela faisait trop longtemps qu'ils montaient la garde, et la seule chose qui les intéressait vraiment était l'argent posé sur le plateau. Ce boulot, c'était vraiment la routine.

Sauf pour la jeune femme blonde.

Le sergent Carol Ketering était encore en état de vigilance. Récemment affectée à cette mission, elle jetait des regards méfiants vers la forme inquiétante qui se dressait au bout de la passerelle. Depuis un moment, elle se sentait mal à l'aise et s'attendait vaguement que quelqu'un fasse une remarque sur le calme qui régnait ici.

Un calme suspect.

Bien sûr, il n'y avait pas beaucoup de bruit à une telle profondeur. Les entrailles d'une montagne gargouillent rarement.

Avec nonchalance, le sergent Keithley distribua une tournée de cartes à la tablée. Même sa voix transpirait l'ennui lorsqu'il marmonna :

— Tout le monde a misé ? O.K., ici deux cartes... une ici... servi...

Keithley jeta un coup d'œil à la petite nouvelle, avant de reporter son attention sur les cartes. Ketering ne suivait pas vraiment la partie, donc elle allait vite se faire ratisser. Pas grave, elle n'était pas du genre à miser son dernier dollar, elle avait la tête sur les épaules. Alors pourquoi diable était-elle si tendue ?

Ketering devenait de plus en plus nerveuse. Cette salle était décidément... trop vaste. Rapidement, elle tourna la tête, comme pour surprendre un mouvement fugace dans son dos. Rien. D'un ton qui se voulait insouciant, elle demanda :

— Hé ! vous n'avez pas peur qu'un officier débarque au beau milieu de la partie ?

Les autres joueurs échangèrent un sourire. Cette nana, elle voulait qu'on la traite comme un mec, mais elle avait les chocottes. L'un d'eux répondit :

— T'inquiète pas, personne ne descend jamais ici, sauf nous.

Ketering ne fut pas rassurée pour autant. Un détail retint soudain son attention. On aurait dit que sous la bâche, l'objet rond s'était mis à ronronner. Le film de plastique opaque se gonflait, comme soulevé par un très léger souffle d'air.

— C'est normal, ce truc ? demanda-t-elle d'une voix aiguë.

— Quel truc ? répliqua Keithley avec irritation.

Ketering interrompait sans cesse la partie ; or, la seule chose intéressante dans ce job, c'était le poker. Le machin, là, sous sa bâche, on s'en fichait complètement.

— Le bidule... je l'ai vu bouger, insista Ketering.

— Ecoute, ce bidule, comme tu dis, n'a jamais rien fait à part coûter du pognon, maugréa Liverakos, le pilote de chasse, sans pour autant sortir son cigare de sa bouche.

Keithley, qui étudiait ses cartes, émit un ricanement sarcastique et ajouta :

— On dirait bien que la pompe à fric s'est tarie, parce que ça fait des mois qu'ils diminuent le personnel ici.

Une fois l'endroit fermé pour de bon, il avait peut-être une chance d'être muté dans un endroit sympa, qui sait ?

— Bon, tu joues ou tu joues pas ? coupa Liverakos à l'intention de Ketering.

Elle fixait toujours la silhouette fantomatique drapée de plastique. Dans l'air mal filtré, les particules de poussière dansèrent tout à coup.

— Je vous dis que ça bouge ! s'entêta-t-elle.

Les gardes s'esclaffèrent. Ah, l'imagination débridée des femmes ! Mais quand même, celle-ci perturbait le jeu avec ses hallucinations.

— Si tu ne veux pas suivre, tu te couches, c'est tout, décréta Liverakos.

Mais Ketering ne faisait même plus mine de suivre la partie. Quittant sa chaise, elle avança sur la passerelle, lentement, d'un pas hésitant. Ses bottes de combat résonnèrent sur le treillis de métal.

Les quatre autres la regardaient avec curiosité.

— Est-ce que ça veut dire que tu te couches ? s'enquit Liverakos.

Parvenue au sommet de la rampe, Ketering s'immobilisa. A présent, on percevait distinctement un chuintement. La bâche commença à onduler sous les cordes qui la maintenaient en place.

Cette fois, les quatre hommes oublièrent leur mise et leurs cartes.

— Hé ! beugla Keithley en voyant les cendriers posés

sur la table se mettre tout à coup à tressauter et à glisser sur le plateau.

L'un d'eux tomba et se fracassa sur le sol de ciment.

La vibration était bien réelle et, comme le grondement qui l'accompagnait s'amplifiait, les gardes se levèrent pour fixer de leurs yeux ronds l'énorme forme.

Soudain un vent violent s'engouffra dans la bâche dont un pan se souleva et alla claquer contre le mur. Les gardes ne s'en préoccupèrent pas, fascinés par la vision de l'objet enfin révélé, ainsi que par la tempête monstrueuse qui se déchaînait en son centre... pourtant vide.

L'anneau, soutenu par des arcs-boutants latéraux, se composait de deux cercles de pierre concentriques divisés en sections, chacune étant gravée d'un symbole différent.

Contrairement aux monuments classiques, celui-ci paraissait vivant. Le cercle interne tournait, tel le disque d'une serrure à combinaisons. Selon une logique mystérieuse qui lui était propre, il virait dans un sens, puis dans l'autre. Chaque fois qu'il s'immobilisait, une des sections du cercle externe se mettait en place dans un cliquetis, et le symbole gravé au-dessous s'illuminait d'une étrange lueur.

Les gardes, stupéfaits mais professionnels avant tout, tâtonnèrent en direction de leurs armes. Ketering dégringola la passerelle et les rejoignit en courant.

— J'imagine que ceci ne s'est jamais produit auparavant ? fit-elle, haletante.

Liverakos se précipita vers le téléphone rouge accroché au mur. A présent, la pièce tout entière semblait secouée par une main géante. Le grondement s'intensifiait, assourdissant, comme lors d'un tremblement de terre. On aurait dit que des grincements provenaient des entrailles de la montagne.

Les militaires s'accroupirent, serrant leurs fusils-mitrailleurs de leurs mains moites. Tous fixaient l'anneau qui s'animait brusquement sous leurs yeux. C'était beaucoup plus excitant que le poker ! Car voilà qu'une matière brillante, à mi-chemin entre la lumière et l'eau, jaillissait du centre de l'anneau, s'avançait en ondulant, sorte de tornade horizontale plus haute qu'un homme.

Comme la spirale lumineuse bondissait soudain dans l'air, les militaires se jetèrent à plat ventre. Liverakos, qui hurlait dans le téléphone rouge, abandonna le combiné pour s'aplatir sur le sol comme les autres. Mais la spirale les ignora pour se renfoncer subitement, comme aspirée. Elle se stabilisa enfin au centre de l'anneau, formant une surface plane et scintillante qui évoquait l'eau miroitante d'un lac au soleil.

Puis, le silence. Une absence de bruit presque douloureuse.

— Quelqu'un a une idée ? lança Keithley d'une voix chevrotante.

Les autres se recroquevillèrent en se remémorant la règle n°1 de l'armée : ne jamais se porter volontaire. Surtout en de telles circonstances !

Mais Ketering était trop jeune, ou peut-être trop inexpérimentée, pour bien connaître cette loi. Sous le regard incrédule de ses camarades, elle se leva, hypnotisée par le disque de lumière et, lentement, remonta de nouveau le long de la passerelle, son fusil à la main.

— Qu'est-ce que tu fous, sacrebleu ? hurla quelqu'un de bon sens.

Fascinée, elle tendit la main pour effleurer la surface étincelante.

En réponse, une sphère métallique de la taille d'une grenade jaillit hors du disque de lumière opaque. Surprise, Ketering eut d'abord un geste de recul, puis elle se baissa pour ramasser l'objet et le retourner entre ses mains.

— Qu'est-ce que tu fous ?

— Touche pas à ça !

Dès que les doigts de Ketering entrèrent en contact avec la sphère, celle-ci, telle une lampe torche, émit un cône de lumière qui inonda le visage de la jeune femme d'un halo rose.

— C'est magnifique ! murmura-t-elle en pivotant vers les autres gardes pour les inviter à partager avec elle cet instant précieux.

C'est alors que le Monstre bondit et se saisit d'elle.

C'est du moins ce que crurent voir les militaires abasourdis au moment où une silhouette d'au moins deux mètres de haut sortait du rideau de lumière pour désarmer Ketering et se servir d'elle comme d'un bouclier, le tout en un seul mouvement aussi rapide que fluide.

L'être avait la tête d'un cobra gris au capuchon dilaté. On eût dit la version géante de l'*uraeus*, le symbole du serpent sur les couronnes de l'Egypte ancienne. Il portait de lourdes bottes, une sorte de côte de mailles surmontée d'un large col plat, et une jupe qui ressemblait à un kilt. Dans sa main droite, il tenait une hampe d'environ 1,80 m qui se terminait par un motif ouvragé en forme de feuille.

Les militaires eurent à peine le temps de comprendre que cette « tête » de serpent était en réalité un casque et que des lames de métal, se chevauchant les unes les autres, recouvraient le véritable visage de la créature. Déjà, cinq autres hommes-serpents apparaissaient et se déployaient en demi-cercle, brandissant leurs bâtons dans une attitude menaçante. Cette ligne de défense n'avait visiblement d'autre but que de protéger celui qui allait les rejoindre, et qui ne pouvait être que leur chef.

Celui-ci fit enfin son entrée. Comme les membres de son escorte, il portait un casque en forme de tête de serpent, mais celui-ci était en or. Des pierres précieuses rouges symbolisaient les yeux. Le col, plus large que celui de ses sbires, était incrusté de turquoises, améthystes, onyx et rubis. De taille moyenne, il ne possédait pas la musculature impressionnante de ses gardes, et cependant c'est vers lui que convergeaient les regards des militaires ahuris.

Au moment où le chef quittait l'écran de lumière, celui-ci disparut d'un coup, comme si le passage se refermait, et un silence absolu retomba sur la salle.

Le casque en or bascula en arrière. Les lames métalliques se rétractèrent dans le col et révélèrent la face humaine de l'intrus. Car c'était bien un visage humain, aux traits juvéniles d'une incroyable perfection, que les militaires découvraient à présent. Un épais trait de khôl soulignait ses yeux noirs. Une calotte dorée le coiffait. Il arborait une expression froide, impassible.

Le chef avisa soudain la femme que le commandant de sa garde retenait toujours prisonnière. Son regard sombre étincela, brûlant comme un fourneau.

— *Jaafa ! Kree !*

Il s'agissait manifestement d'un ordre. Aussitôt, la tête de cobra grise bascula à son tour, les écailles se rétractèrent, et un visage apparut, humain lui aussi, mais noir comme celui d'un Africain ou d'un Afro-Américain.

C'était un homme robuste, solide. Son front s'ornait d'un symbole doré : un cercle englobant un ovale qui lui-même contenait une ligne serpentine. La dureté de ses traits était accentuée par la calotte grise qui surmontait son crâne.

— *Teal'c ! Kree !* répéta le chef d'un ton impatient.

L'espace d'un instant, le Noir qui ceinturait Ketering dévisagea son chef comme si l'instruction le déroutait. Puis, d'un air curieux, il étudia le M-16 de sa captive, ainsi que les armes similaires que les militaires braquaient dans sa direction. Manifestement, c'était la première fois qu'il voyait des fusils-mitrailleurs. Il se rendait bien compte de la menace que représentaient ces objets, pourtant il obéit à son chef et rejeta l'arme de Ketering comme s'il s'agissait d'un vulgaire jouet. Puis il poussa la jeune femme dans les bras de l'autre.

— Lâchez-moi ! haleta Ketering en se débattant.

Le chef appliqua sa paume sur son front. Les militaires virent alors que sur son avant-bras courait un ruban métallique qui venait s'enrouler autour du poignet, puis se divisait en cinq branches qui se prolongeaient sur le dos de la main pour se terminer en doigtier sur chacun des doigts. La pierre rouge incrustée sur la paume se mit à briller. Une onde d'énergie pulsa le long du bracelet et Ketering s'affaissa doucement, sans plus offrir de résistance, bien que ses yeux fussent restés grands ouverts.

— Libérez-la ! hurla Keithley.

Le chef tourna vers les militaires un regard chargé de mépris.

— *Jaafa ! Mol kek,* ordonna-t-il.

Dans un ensemble parfait, les gardes-serpents pointèrent leurs bâtons vers les militaires. Les épais embouts en forme de feuilles se fendirent en deux telles des mâchoires d'alligator. Dans un concert de craquements sauvages, des éclairs d'énergie jaillirent et réduisirent tout un pan de mur à l'état de gravats.

Les militaires ripostèrent aussitôt à l'aide de leurs armes, mais les balles n'eurent aucun effet sur les créatures. Le chef examinait sa prisonnière inerte. Un sourire démoniaque illuminait ses traits d'une pureté absolue, comme si les balles qui sifflaient et ricochaient autour de lui n'étaient pas plus dangereuses que des embruns. Du bout des doigts, il frôla la joue de Ketering et souleva une boucle de ses cheveux blonds. Immobile, elle le considérait sans réagir, comme plongée dans une transe profonde.

Liverakos roula derrière une console pour se protéger des rayons mortels, avant de s'emparer du téléphone rouge.

— Ici Zone C ! Nous sommes attaqués ! Ici Zone C, nous avons bes...

Un éclair aveuglant traversa la salle et le frappa en pleine poitrine. Un trou net d'environ trente centimètres de diamètre apparut dans sa cage thoracique. Au milieu de sa phrase, il glissa par terre, mort avant d'avoir compris ce qui lui arrivait.

Le combiné se balançait au bout de son cordon, tandis qu'une voix étouffée et nasillarde s'élevait du micro.

Dans un juron, Keithley se dressa de toute sa taille et se mit à canarder les envahisseurs, jusqu'au moment où un rayon d'énergie le coupa en deux.

Pendant ce temps, le dénommé Teal'c se contentait de regarder ses acolytes achever la besogne. Visiblement, son devoir consistait avant tout à assurer la protection du chef. Celui-ci lui tendit soudain Ketering, comme si la jeune femme n'était qu'une poupée de chiffon sans consistance.

Les deux militaires restants continuèrent de tirer, retranchés derrière une console et un bureau. Ils concentraient leurs salves sur les deux gardes-serpents les plus proches. Les balles crépitaient sur les cuirasses, arrachant parfois un petit morceau d'armure, alors que chaque riposte des bâtons ennemis faisait exploser un mur ou une console. Mais au bout d'un moment, les rafales de balles atteignirent dans leur chair les deux gardes-serpents qui finirent par s'écrouler.

Les deux humains ne perdirent pas de temps à crier victoire. Sans une seconde de répit, ils visèrent les deux autres gardes-serpents qui, de leurs corps, formaient un rempart pour leur chef. Ce dernier, voyant que deux de ses gardes gisaient à terre et que les choses ne se déroulaient pas comme prévu, se détourna soudain de sa captive. Il devait se rendre à l'évidence : ces humains qu'il tenait en si piètre estime représentaient une menace bien réelle.

— *Kreeka ! Jaafa !* siffla-t-il d'une voix furieuse.

Comme il prononçait ces mots, l'anneau se mit à vibrer et à irradier son étrange tornade lumineuse, tandis qu'un grondement croissant emplissait de nouveau la salle.

Les gardes-serpents brandirent leurs bâtons. Un militaire mourut instantanément, transpercé par un rayon. Désespéré, le dernier soldat se mit à ramper en direction de la porte. De ses mains fébriles, il tenta de la déverrouiller, mais il n'avait aucune protection et mourut l'instant suivant.

Le seul témoin humain encore en vie était Carol Ketering. Mais elle ne réagit pas lorsque les cuirasses des deux gardes-serpents abattus s'ouvrirent pour dévoiler leurs ventres. De minces créatures blanches, semblables à des vers d'une trentaine de centimètres environ, jaillirent d'une fente pratiquée dans chaque abdomen et traversèrent la pièce en frétillant pour atterrir dans les bras du chef.

Celui-ci les serra contre lui tout en leur murmurant des paroles apaisantes. Puis il se baissa pour récupérer la sphère qui avait tant intrigué Ketering. Sur un signe de sa part, les deux gardes-serpents survivants franchirent de nouveau l'écran étincelant et disparurent.

Il ne restait en haut de la passerelle que le chef, le commandant de la garde et leur prisonnière, lorsqu'un escadron militaire fit irruption dans la salle. Vingt soldats en armes se déployèrent, prêts à tirer, suivis par un homme que son uniforme et ses galons désignaient comme un général.

D'un regard stupéfait, ce dernier embrassa la scène dans toute son horreur : les soldats gisant à terre tels des pantins désarticulés, et les deux créatures extraterrestres qui tenaient en leur pouvoir une Ketering inerte.

— Ne tirez pas ! ordonna aussitôt le général à ses hommes.

Le chef à la peau mate et aux vêtements dorés se contenta de le regarder. Le blanc de ses yeux se mit à briller telle une fournaise immaculée qui contrastait avec ses iris sombres comme les cheminées de l'enfer. Avec un ricanement, il se détourna et franchit la porte étincelante, son commandant sur les talons. Dès qu'ils eurent disparu, la lumière s'éteignit, le disque se vida, et un silence de mort retomba.

Les militaires inspectèrent la salle, les cadavres encore fumants de leurs camarades, et ceux des deux gardes-serpents. Sur les murs, là où les rayons d'énergie avaient frappé, des flammèches dansaient encore. La table de poker était renversée, les pieds pointés vers le plafond. Quelqu'un avait essayé de s'en servir comme d'un bouclier, et il y avait un trou béant au milieu du plateau.

Il fait toujours froid à l'étage – 28, au tréfonds d'une montagne. Mais dans le cœur du général George Hammond régnait un froid encore plus grand. Car il savait désormais que le Stargate était de nouveau opérationnel.

2

Le major Bert Samuels consulta sa montre au moment où son coéquipier faisait bifurquer la voiture dans une rue tranquille. Minuit passé de quelques minutes ; pas mal, si l'on considérait l'heure à laquelle ils avaient quitté la base.

Ils se trouvaient dans une zone résidentielle bien cossue à en juger par le paysage. Peu de lumières perçaient l'obscurité veloutée du ciel. Samuels espérait que l'homme qu'ils étaient venus chercher n'était pas couché. Sinon, tant pis pour lui, car sa nuit serait finie dès que Samuels serait en face de lui.

Le conducteur ralentit, longea lentement les maisons, cherchant un numéro dans les allées ou sur les boîtes aux lettres à moitié dissimulées par les haies. Samuels ravala un commentaire agacé. Il voulait en finir, puis rentrer chez lui et siroter un verre. Il était officier, pas garçon de course, bon sang ! Sauf quand il devait exécuter les ordres de ses supérieurs, ce qui lui arrivait plus souvent qu'il ne l'aurait voulu étant donné qu'il était seulement major...

Lorsqu'il avait obtenu le grade de capitaine, il s'était

cru débarrassé. Mais maintenant, au lieu des majors, c'étaient les généraux et les colonels qui lui pourrissaient la vie. Enfin, cela faisait partie du jeu, et à ce jeu on prenait du galon, jusqu'au jour où l'on devenait celui qui commandait et qui se servait des jeunes officiers comme de larbins. Samuels se languissait de ce jour futur presque autant qu'il lui tardait de rentrer chez lui. Et son retour à la maison n'était pas prévu avant un bon bout de temps.

La voiture se gara dans une allée. Samuels sortit, suivi par le chauffeur.

— C'est ici ?

— Oui, major, répondit le chauffeur, un bon soldat de l'Air Force qui était tenu au respect, même lorsqu'on l'obligeait à répondre à des questions idiotes.

La maison située au bout de l'allée était sombre et silencieuse. Une lumière discrète éclairait le porche. L'endroit avait l'air désert.

Samuels soupira. Il allait recevoir un sacré savon s'il ne ramenait pas à la base l'homme qu'il était venu chercher.

Regrettant de ne pas s'être mieux protégé contre le froid, il défroissa de la main son uniforme et posa sa casquette sur son crâne. Autant être impeccable, après tout.

Comme il s'approchait de la porte, il discerna, avec soulagement, de la lumière à l'intérieur. A travers les stores, il entrevit un salon et le manteau d'une cheminée de pierre. Mais aucune trace de celui qui l'intéressait.

Il souleva le heurtoir, cogna un coup sec contre le battant. Quelques secondes s'écoulèrent, sans que rien ne se produise.

— Bon, s'il n'est pas là..., commença Samuels, résigné.

— J'ai cru apercevoir quelqu'un sur le toit quand nous sommes entrés, major, déclara le chauffeur avec une certaine assurance.

— Que diable ferait-il sur le toit ?

Le chauffeur savait pertinemment qu'il valait mieux ne pas répondre à cette question. Du doigt, il désigna le côté de la maison et ajouta :

— Il y a une échelle, là.

Samuels grommela un juron. Monter à l'échelle en pleine nuit ? Avec le pot qu'il avait, l'alarme allait se déclencher et il se retrouverait les menottes aux poignets dans cinq minutes... Mais bon, les ordres étaient les ordres.

Il se hissa sur l'échelle, prêt à aboyer si le chauffeur se permettait un commentaire. Mais le jeune soldat, habitué à la compagnie des officiers subalternes, conserva sagement le silence. Sauf qu'il riait peut-être sous cape...

Le toit était en pente sur un côté de la maison, mais plat de l'autre. Parvenu tout en haut, Samuels s'épousseta de nouveau avant de jeter un regard autour de lui.

La luminosité était faible, mais en levant les yeux au ciel le major retint son souffle. Jamais il n'avait vu autant d'étoiles !

Il mit quelques secondes à se rendre compte qu'il n'était pas seul sur le toit et qu'à quelques mètres, penchée sur un télescope, se trouvait la silhouette d'un homme qui admirait également le firmament étoilé.

— Colonel Jack O'Neil ?

Un instant, Samuels douta avoir affaire à la bonne personne. L'individu semblait plutôt débraillé, du style professeur d'université. Sauf que ces derniers portaient rarement des blousons de cuir noir, des T-shirts noirs et des pantalons kaki.

Même assis, O'Neil paraissait grand. Il avait les cheveux blonds, ce genre de blond dans lequel les cheveux blancs ne se voient pas. Le colonel avait l'air en grande forme, et Samuels aurait parié sa solde que les tests d'aptitude physique ne lui avaient jamais posé le moindre problème. Il devait être âgé d'une quarantaine d'années, ce qui était jeune pour quelqu'un qui était déjà à la retraite.

Visiblement, O'Neil se préoccupait bien plus de ce qu'il contemplait dans sa lunette que d'un quelconque visiteur qui aurait grimpé sur le toit pour parvenir jusqu'à lui.

— ... Suis en retraite, maugréa-t-il sans même tourner la tête.

Traduit en clair, cela signifiait : *Foutez le camp*. Samuels déglutit avec peine.

— Je suis le major Samuels...

— De l'Air Force ?

— Oui, mon colonel.

O'Neil avait peut-être l'air négligé, il était peut-être à la retraite, mais il n'en restait pas moins colonel, et Samuels lui devait le respect. Et puis, le bonhomme avait de la prestance. Samuels avait dû réprimer une première impulsion qui lui dictait de se mettre au garde-à-vous, et il n'aimait pas ça du tout.

— Je suis l'aide de camp du général, annonça-t-il.

Et toc !

Enfin, O'Neil daigna relever la tête de son télescope, mais ce fut pour regarder directement les étoiles qui scintillaient dans le ciel. Manifestement, l'information que venait de lui fournir Samuels le laissait de marbre.

— Voulez un conseil? dit O'Neil sur le ton de la conversation banale. Tâchez de vous faire muter à la NASA. Maintenant, c'est là-haut que ça se passe.

Samuels suivit du regard la direction qu'indiquait le doigt du colonel pointé vers le ciel. Puis, se remémorant brusquement qu'il n'était pas là pour bâtir son plan de carrière, il prit une profonde inspiration et déclara :

— Je... hum... J'ai ordre de vous amener devant le général Hammond.

— Jamais entendu parler de lui.

— Il a remplacé le général West, mon colonel.

O'Neil n'avait tout de même pas oublié le général West !

Il y eut un court silence. Puis, dans un soupir, O'Neil se tourna vers le télescope pour effectuer un réglage supplémentaire. Samuels rongeait son frein. De toute évidence, cette mission ne servirait pas de tremplin à sa carrière, à moins qu'un revirement drastique ne se produise. Dans cette optique, on l'avait autorisé à révéler certains éléments tenus secrets jusqu'à présent, mais seulement en cas de force majeure. En l'occurrence...

— Je suis un homme très occupé, major.

— Je le vois bien, mon colonel, mais... le général Hammond a dit que c'était important. Cela concerne... le Stargate, acheva Samuels en appuyant sur le mot qu'on lui avait dit de ne prononcer qu'en cas de « force majeure ».

Le temps parut se figer, comme saisi sur pellicule. Puis O'Neil se tourna vers lui, son télescope oublié, pour le regarder droit dans les yeux.

De nouveau, Samuels eut du mal à déglutir. Il n'avait jamais vu une expression aussi terrible que celle qui était inscrite en cet instant sur le visage du colonel !

O'Neil avait à peine desserré les dents durant le trajet qui les avait amenés à la base. Une fois ou deux, Samuels avait tenté de lui faire la conversation, mais le colonel l'avait tout bonnement ignoré pour garder les yeux fixés sur le ciel, à travers la vitre de la portière. Il semblait profondément absorbé par ses propres pensées, comme s'il se remémorait une multitude de souvenirs.

Ils trouvèrent la base en état d'alerte maximale. Samuels observa O'Neil à la dérobée, tandis que le véhicule franchissait le portail automatique gardé par des sentinelles armées. On passa un deuxième point de contrôle, puis un troisième. Des militaires de l'Air Force patrouillaient sur les toits des bâtiments de parpaing qui entouraient l'entrée située sous un surplomb de granite, à flanc de montagne. Samuels et son chauffeur durent montrer leurs laissez-passer à plusieurs reprises avant de pouvoir garer la voiture dans un parking, puis de pénétrer à l'intérieur de la structure principale.

Ils passèrent d'autres sentinelles qui portaient des fusils et des armes de poing, parcoururent un long couloir et parvinrent devant un ascenseur. Le chauffeur les abandonna là. Samuels ne cessait d'épier le colonel, guettant le moindre signe d'émotion sur son visage. Mais depuis cette expression fugace à l'évocation du Stargate, rien. O'Neil aurait tout aussi bien pu déambuler dans une galerie marchande.

Au niveau – 11, ils quittèrent l'ascenseur et longèrent un autre couloir. En s'arrêtant devant un bureau, Samuels précisa :

— Nous allons devoir prendre un autre ascenseur. Il faut descendre encore plus bas.

— Je sais, répliqua O'Neil tout en signant le registre qu'on lui présentait. J'ai déjà été là-bas.

Dépité, Samuels marmonna une réponse inaudible. Cette fois, en reprenant l'ascenseur, il se tint face à la porte, au repos. Bien sûr qu'O'Neil connaissait la base ! Il n'avait même pas cillé en voyant les gardes, les clôtures, les ascenseurs successifs qui les entraînaient au cœur de la montagne. Il laissait Samuels lui montrer le chemin, mais il savait parfaitement où ils se rendaient.

Un dernier couloir, une porte fermée, et un garde les accueillit d'un :

— Par ici, messieurs.

— Entrez ! fit une voix bourrue et lasse.

Samuels se mit au garde-à-vous devant le large bureau, et salua, la main à sa casquette. Hammond leva les yeux du dossier qu'il consultait. Samuels procéda aux présentations :

— Général Hammond : colonel Jack O'Neil.

— En retraite, précisa O'Neil.

Hammond se mit à étudier le colonel qui, toujours impassible, ne broncha pas sous cet examen attentif. Samuels, qui s'était placé légèrement en retrait, observait les deux hommes. L'entrevue promettait d'être intéressante. Bien entendu, en tant qu'aide de camp de Hammond, il avait lu les précédents rapports et les avait même résumés à l'intention de son supérieur, cela faisait partie de son boulot. Il savait tout ce qu'il y avait à savoir sur la première mission Stargate, mais pas grand-chose au sujet d'O'Neil. Qui était ce type ? Pourquoi avait-il pris sa retraite si tôt ? Et pourquoi Hammond avait-il insisté pour le convoquer, alors que l'affaire dont ils s'occupaient était classée ultra-top secret ? Y avait-il dans ces rapports plus que Samuels n'avait cru y voir ?

— En retraite, hein ? répéta le général. Oui, je vois ça...

Allusion directe à l'attitude nonchalante d'O'Neil, à son blouson de cuir et à son menton râpeux. Le colonel ne s'était pas mis au garde-à-vous, bien qu'à la soudaine raideur de ses épaules on eût pu croire qu'il en avait eu le réflexe. Même chez les retraités, les vieilles habitudes ne s'en vont pas comme ça.

— Je vous envie, colonel.

— Vraiment, mon général ?

Samuels réprima un sourire en entendant le ton très neutre, celui qui n'engageait à rien. Lui-même l'employait parfois face à un supérieur. C'était la version militaire des grands yeux écarquillés pleins d'innocence.

— Oui, je vous envie d'être à la retraite. Moi, c'est ma dernière année. Il est temps que je rassemble mes pensées, pourquoi pas écrire un livre ? Avez-vous jamais envisagé de relater vos exploits accomplis au service de votre patrie ?

Des exploits ? Samuels tiqua. Il n'aurait pas utilisé ce terme pour qualifier la mission Stargate. Et il n'aurait pas cru qu'un militaire bon teint comme Hammond s'amuserait à raconter des bobards. La retraite dans un an, mon œil ! Hammond avait dédié toute sa vie à son pays et à l'Air Force.

— J'y ai pensé, en effet, répondit O'Neil. Le problème, c'est qu'ensuite je serais obligé de tuer tous ceux qui auraient lu mon livre.

Hammond le dévisagea un moment, comme s'il se demandait s'il fallait voir dans cette réponse une insolence caractérisée. Quant à Samuels, il avait failli s'étrangler en entendant la remarque du colonel. Hammond était un homme efficace et rusé, épris de discipline, qui ne tolérait certes pas les petits malins.

O'Neil enchaîna :

— Je plaisante, mon général. Ces dix dernières années, la plupart de mes missions ont été classées top secret.

Pour la première fois, Samuels songea qu'il était bien content d'être placé directement sous les ordres de Hammond. Travailler pour O'Neil devait être un véritable enfer si ce type vous avait dans le nez.

— Bien sûr, acquiesça Hammond.

O'Neil inspira profondément et décida de prendre les devants :

— Alors, selon le major Samuels, il s'agirait du Stargate ?

— Droit au but, hein colonel ? Bien, ça me va. Venez, suivez-moi.

Le général se leva et sortit du bureau, O'Neil sur les talons. D'emblée, Samuels leur emboîta le pas. On ne l'y avait pas invité, néanmoins on ne lui avait pas non plus demandé de partir, et il se doutait de l'endroit où se rendaient les deux autres.

Il ne s'était pas trompé. Quelques minutes plus tard, après avoir parcouru d'autres couloirs de béton et d'acier, croisé des hordes d'agents de maintenance très occupés à remplacer des ampoules électriques ou à tester des boîtes à fusibles, ils gagnèrent l'infirmerie de la base.

En temps normal, il ne s'y déroulait que des actes médicaux de pure routine : vaccinations antitétaniques, auscultations, une fracture les grands jours. Mais dernièrement, un cas bien plus sérieux requérait les soins de l'officier médecin.

Pour l'heure, la salle était transformée en morgue, ainsi qu'en laboratoire de pathologie. Au centre étaient alignées plusieurs civières en inox dotées de rigoles de chaque côté. Samuels préférait ne pas penser à ce qu'elles étaient censées drainer.

Sur chaque civière gisait une forme recouverte d'un drap. Sous le regard des trois militaires, le médecin souleva l'un des draps, révélant un corps masculin dénudé qui présentait de sévères blessures par balles.

Mis à part la cause évidente de la mort, le cadavre comportait plusieurs caractéristiques surprenantes. Un symbole de métal était incrusté dans le front : un ovale encerclé contenant une petite ligne ondulée. Il y avait aussi une incision en forme de X sur le ventre, qui n'avait pas l'air d'une blessure, mais plutôt d'une sorte d'orifice naturel.

— Quelqu'un de votre connaissance, colonel ?

O'Neil parut estimer qu'un colonel en retraite n'avait pas à répondre à une question de pure rhétorique.

— Ils ne sont pas humains, intervint le médecin.

— Oh ? Vous croyez ? répliqua O'Neil d'un air faussement étonné.

Ce trait d'ironie lui attira aussitôt un regard agacé de Samuels. Décidément, ce O'Neil était un drôle de zèbre. Heureusement, sur le plan technique, il était toujours un civil !

— Tout ce que nous pouvons dire, poursuivit le médecin sans relever le sarcasme, c'est que ces fentes abdominales sont une sorte de poche semblable à celle des marsupiaux.

— Comme les kangourous, précisa Samuels, satisfait d'ajouter son grain de sel.

O'Neil lui jeta un regard qui signifiait qu'il n'avait nul besoin de ce genre d'explication.

— Sauf que dans le cas de cette espèce, les deux sexes portent cette poche, continua le médecin en allant soulever le drap d'une autre civière.

Le deuxième cadavre était visiblement celui d'une femelle. Elle aussi arborait la marque frontale, ainsi que la fente pratiquée sur le ventre.

— Ces gens, enfin ces créatures sont arrivées par le Stargate, déclara Hammond. Ils ont tué quatre de mes soldats et en ont kidnappé un cinquième, en s'aidant d'armes d'une technologie inconnue.

O'Neil releva aussitôt la tête et répéta :

— Des armes, mon général ?

Hammond se tourna pour saisir le bâton posé contre le mur. Il le tendit au colonel.

— Nous n'arrivons pas à comprendre comment il fonctionne... intervint Samuels, avant de s'interrompre.

Il était évident qu'O'Neil avait déjà manipulé une arme de ce genre. Il faisait glisser sa paume le long de la hampe, dans un geste expérimenté, un peu comme s'il caressait une arme à feu. Puis soudain, il fit jouer un levier secret. L'extrémité bulbeuse du bâton s'ouvrit aussitôt et une petite étincelle crépita entre les deux mâchoires, signe que l'arme était en état de marche.

Dans la pièce, tout le monde recula.

— Dois-je en conclure que vous avez déjà vu une arme comme celle-ci auparavant ? s'enquit Hammond d'une voix caverneuse.

— Oui, mon général. Mais sur Abydos, il n'y avait pas de créatures comme celles-ci. Les gens étaient humains, d'origine terrestre. C'est Râ qui les avait déportés des milliers d'années plus tôt.

Depuis que Samuels avait fait la connaissance d'O'Neil, c'était la première fois que ce dernier prononçait autant de mots d'affilée. Le major ne put s'empêcher de frissonner. Il était fait allusion à cette théorie dans les rapports qu'il avait consultés, mais entre lire un texte sans âme et entendre quelqu'un parler à voix haute, il y avait un monde ! Allons, tout cela était ridicule, de la pure science-fiction. Impossible !

Pourtant, ces créatures étaient bien là, rigides et froides sur leurs civières, et de ses propres yeux il avait jugé des effets dévastateurs de ce simple bâton.

— Je sais tout cela ! grogna Hammond. Mais dans votre rapport, vous avez écrit que ce Râ était en réalité un extraterrestre qui, en quelque sorte, parasitait un corps humain ?

— Ouais. Mais ses yeux luisaient, ça nous a mis la puce à l'oreille.

Samuels se retint de secouer la tête. Ce mec était vraiment un rigolo. Comment avait-il réussi à accéder au grade de colonel ? C'était un mystère et, visiblement, le général se posait la même question.

— Etes-vous certain que Râ soit mort, colonel ?

O'Neil haussa les épaules, avant de désactiver l'arme qui redevint, d'aspect du moins, un bâton inoffensif.

— A moins qu'il n'ait pu survivre à l'explosion d'une tête nucléaire juste sous son nez, oui, j'en suis certain, mon général. Pourquoi ?

— Colonel, ces gens, ces... enfin, appelez-les comme vous voudrez, composaient l'escorte d'un individu qui est reparti par le Stargate. J'ai parfaitement bien vu ses yeux et je suis formel : ils luisaient.

Le général soutenait sans le moindre effort le pas alerte de son cadet tandis que tous deux longeaient le couloir.

— Que vous reste-t-il de la mission Stargate après tout ce temps, colonel ?

Hammond était pratiquement sûr de la réponse qu'il aurait obtenue dix minutes plus tôt, avant qu'O'Neil ne voie les corps. *Tous* les corps, y compris ceux des humains abattus dans la salle qui abritait le Stargate.

— Que voulez-vous dire ?

— Eh bien, plus d'un an a passé depuis. Votre point de vue a-t-il changé ? Il y a dix minutes à peine, vous avez vu ces cadavres. Quel est votre point de vue à présent ?

O'Neil parut choisir ses mots avec soin :

— Mon général, mon sentiment est que...

Il s'interrompit pour laisser passer trois hommes qui pénétrèrent aussitôt dans une des salles s'ouvrant sur le couloir et disparurent de leur vue. O'Neil fronça les sourcils :

— Ce n'étaient pas... ?

— Kawalsky et Feretti, oui. Ils ont servi sous vos ordres au cours de la première mission Stargate, confirma Hammond.

Ses traits restèrent impassibles, mais intérieurement il sourit : *Je te tiens, mon gaillard !* Puis, désignant la porte de son bureau :

— Après vous, colonel.

Samuels arrivait, tout essoufflé. O'Neil entra et ignora la chaise que lui proposait le général. Son regard passa d'un coin de la pièce à l'autre, comme s'il cherchait à détecter un piège éventuel, puis il se dirigea vers la grande baie vitrée qui donnait sur la salle de conférences.

Kawalsky et Feretti étaient assis à la grande table ronde. Deux officiers leur faisaient face et consultaient des dossiers tout en leur posant des questions. Kawalsky et Feretti semblaient très mal à l'aise et, fréquemment, ils jetaient des coups d'œil incertains à leur ancien commandant qui les observait de l'autre côté de la baie vitrée.

Hammond vit O'Neil s'appuyer contre l'encadrement. Il devina la tension qui l'habitait et qui raidissait sa nuque et ses épaules.

— Parlez-moi de Daniel Jackson, colonel.

Mais O'Neil avait autre chose en tête :

— Pourquoi fait-on passer un interrogatoire à mes hommes ?

Sous son masque stoïque, Hammond jubila. *Mes* hommes ! On ne lui avait pas exagéré le sens des responsabilités du colonel O'Neil.

— Ce ne sont plus *vos* hommes, colonel. Vous êtes désormais à la retraite. Revenons à Daniel Jackson...

— Vous avez lu mon rapport, rétorqua O'Neil sans même se retourner.

— Oui. Et alors ?

— Tout est dedans.

— Vraiment ? intervint Samuels, une note sarcastique dans la voix.

C'était à son tour de jouer au méchant limier au service du général. Sans compter qu'il avait très envie de connaître enfin la vérité.

O'Neil pivota pour leur faire face.

— Pouvez-vous m'expliquer à quoi rime tout cela, mon général ? demanda-t-il durement.

— Vous n'aimiez pas beaucoup Daniel Jackson, n'est-ce pas ?

— Bah ! Jackson était un scientifique. Il éternuait beaucoup. A mon sens, c'était un dégénéré... mon général.

— En fait, vous ne lui accordiez guère d'attention, pas vrai ?

— Je n'ai pas dit cela. Il m'a sauvé la vie et il nous a permis de rentrer sur terre, à moi et à mon équipe. Ce n'est pas le genre de service qu'on oublie dans la seconde.

Hammond farfouilla dans ses papiers, sans quitter des yeux la haute silhouette qui se tenait près de la baie vitrée.

— Selon l'ordre de mission, vous deviez passer à travers le Stargate ; détecter toute menace éventuelle dirigée contre la Terre ; et enfin, le cas échéant, déclencher une arme nucléaire et détruire la Porte du côté Abydos.

— Pourtant, ce n'est pas ce que vous avez fait, n'est-ce pas ? susurra Samuels.

Hammond se fit la réflexion que le major excellait vraiment dans le rôle qui lui était imparti. Il ferait sans doute un bon élément au sein de l'équipe chargée des interrogatoires. Un jour, peut-être...

— Pas immédiatement, reconnut O'Neil, sur la défensive. Les soldats de Râ nous étaient bien supérieurs en nombre, et ils se sont emparés de l'arme avant que je puisse l'amorcer.

Hammond avait toujours pensé qu'on reconnaissait un excellent officier à sa façon de mentir à ses supérieurs. O'Neil tergiversait, mais il n'était pas très doué pour cela. Hammond sourit avec férocité. Samuels le vit et décida que l'heure de la curée avait sonné :

— Finalement, avec l'aide du Dr Jackson, vous avez repris la situation en main et déclenché la bombe, non ?

O'Neil jeta un regard presque désespéré à ses deux hommes, de l'autre côté de la baie vitrée. Néanmoins, il répondit sans attendre :

— Oui.

Hammond enchaîna :

— Ainsi, d'après ce que nous savons, Daniel Jackson est mort, de même que tous les habitants d'Abydos ?

O'Neil hésita, avala sa salive. De la langue, il humecta sa lèvre inférieure. *Ha ! ha !* exulta Hammond. *Il va falloir cracher le morceau, mon garçon.*

— C'est exact, acquiesça enfin le colonel.

— Bien, ronronna le général. Dans ce cas, vous ne verrez pas d'objection à ce que j'autorise la poursuite de notre plan...

Il se leva, fit signe à O'Neil de le suivre hors du bureau. Sur un dernier regard à ses hommes, O'Neil obtempéra. Ils prirent l'ascenseur.

— Ce quartz dans lequel sont fabriqués les Stargates doit être d'une grande dureté puisqu'il est capable de résister à l'explosion d'une Marque 3 ?

— Après notre retour, nous avons envoyé un robot-sonde là-bas, mon général. Il a été écrasé, ce qui signifie que la Porte Abydos a été enfouie sous les décombres.

O'Neil essayait de gagner du temps, tous deux le savaient parfaitement.

— Eh bien, d'une manière ou d'une autre, cette Porte a été dégagée, colonel.

Ils pénétrèrent dans la salle où se trouvait le Stargate. L'endroit grouillait d'activité. O'Neil nota d'abord les traces du combat qui avait eu lieu entre les extraterrestres et les humains. Puis son regard tomba sur le véhicule radiocommandé placé au pied de la rampe d'accès et qui supportait un cylindre de métal brillant.

Des techniciens étaient agglutinés autour de l'objet afin d'effectuer des réglages, de lire des ohmmètres, ou de prendre des notes.

Une expression horrifiée se peignit sur les traits d'O'Neil.

— Mon Dieu ! Vous ne comptez tout de même pas envoyer une autre bombe là-bas ?

Hammond hocha la tête de façon presque joviale.

— Si. Une Marque 5, cette fois. Si ces créatures ont réellement rouvert la Porte Abydos, nous devons la sceller une bonne fois pour toutes.

A cet instant, un chronomètre digital s'alluma sur le flanc du cylindre et commença à décompter les secondes.

— Vous ne pouvez pas faire ça, mon général !

Hammond écarquilla les yeux sans cesser de sourire.

— Le compte à rebours est parti, objecta-t-il innocemment. A moins bien sûr que... vous n'ayez omis de me dire quelque chose, colonel O'Neil ?

Le général pouvait presque entendre les rouages grincer dans le cerveau d'O'Neil. Enfin ce dernier se tourna face à lui. Pour la première fois, il se mit au garde-à-vous, planta son regard dans le sien et, d'une voix dénuée d'émotion, déclara :

— Mon général, j'ai le regret de vous informer que mon rapport n'était pas entièrement exact.

— Vous n'avez pas déclenché la bombe.

C'était une affirmation. Hammond savait bien que quelque chose clochait dans ce rapport. Comment auraient fait les extraterrestres pour passer par une

Porte enfouie sous des gravats radioactifs ? Non, il n'y avait pas eu d'explosion. Et certainement à cause d'O'Neil. C'était sa mission, son rapport.

Son mensonge.

Le regard du colonel ne cilla pas, mais de nouveau il s'humecta les lèvres.

— Si, j'ai déclenché la bombe. Mais elle se trouvait à bord du vaisseau spatial de Râ. Sa mort a éliminé toute menace visant l'humanité, mais...

— Mais ? fit Samuels sur une note de triomphe.

S'adressant à Hammond seul, O'Neil admit à regret :

— Mais le vaisseau se trouvait en orbite lors de l'explosion, si bien que ni la planète ni la Porte n'ont été détruites. Daniel Jackson est en vie parmi le peuple Abydos.

Et résultat, quatre — non, vraisemblablement cinq — bons soldats sont morts ! pensa Hammond en réfrénant à grand-peine un rugissement de fureur.

— Vous avez enfreint un ordre direct, colonel. Pourquoi ?

— Parce que le peuple Abydos ne représente aucune menace pour nous. Ces gens méritent qu'on les laisse vivre tranquilles.

— Ce n'est pas à vous d'en...

— Avec tout le respect que je vous dois, mon général, si je n'avais pas prétendu que la Porte était détruite, l'armée aurait sur-le-champ expédié là-bas une autre bombe. Exactement comme vous vous apprêtiez à le faire. Mais cela n'aurait servi à rien de tuer ces pauvres gens puisque la menace de Râ avait disparu.

Apparemment, cette confession soulageait l'âme militaire du colonel qui avait recouvré toute son assurance.

Mais le major Samuels n'entendait pas lâcher le morceau :

— Expliquez-nous pourquoi cette sonde que nous avons envoyée sur Abydos a été écrasée ?

— Après notre retour, Jackson a enterré la Porte sous des rochers, de façon que personne ne puisse plus se servir du Stargate.

— Ce n'est pas ce que disent les quatre cadavres de l'infirmerie, contra Hammond d'une voix dure.

Se tournant vers les techniciens qui s'étaient arrêtés de travailler pour écouter la conversation, il ajouta :

— Nous enverrons la bombe sur Abydos à l'heure prévue.

— VOUS NE POUVEZ PAS FAIRE CELA, MON GÉNÉRAL !

Ce O'Neil avait une voix de stentor. Néanmoins il n'en restait pas moins un simple colonel — qui plus est, à la retraite — qui s'adressait à un général.

— Ah non ? gronda Hammond d'un ton menaçant.

— Il y a des innocents sur cette planète.

— Sur Terre aussi !

Hammond prit une profonde inspiration pour se calmer, avant de poursuivre :

— Voyez-vous colonel, vous n'êtes pas le seul à recevoir des instructions. La différence, c'est que *moi*, je m'y conforme.

Aux deux soldats qui se tenaient derrière Samuels, il ordonna :

— Emmenez le colonel. Je veux qu'il réfléchisse un peu pendant que je décide quoi faire de lui.

Sarcastique jusqu'au bout, O'Neil exécuta un salut ostentatoire, avant de tourner les talons pour suivre les deux militaires qui l'encadraient.

3

Les soldats l'abandonnèrent au « mitard », une salle minuscule dépourvue de fenêtre qui avait dû être le bureau de quelqu'un peu de temps auparavant. Il y avait là deux couchettes, une petite table et un bureau de métal gris.

Charles Kawalsky bondit sur ses pieds, la main collée au front.

— Mon colonel !

O'Neil lui jeta un regard las.

— Je suis à la retraite, Kawalsky. Repos.

Le bras de Kawalsky retomba. O'Neil le saisit et le serra de ses deux mains. *Voilà, c'est ce que font les civils, non ?* songea-t-il.

Visiblement perturbé, Kawalsky se rassit.

— Feretti et moi, on ne leur a rien dit, assura-t-il.

Erreur. Ce n'était pas sa faute, bien sûr, mais O'Neil était sûr qu'il y avait un micro dissimulé quelque part dans cette pièce. On l'avait mis en compagnie d'un membre de son ancienne équipe afin que Hammond ne perde pas une miette de leur conversation. D'un autre côté, il avait déjà déballé toute la vérité, du moins celle qui importait, aussi il se fichait bien de ce que Hammond pouvait surprendre.

Une seule chose comptait : il devait trouver l'argument qui empêcherait le général d'envoyer une Marque 5 par la Porte. Il y avait des femmes et des enfants sur Abydos, les victimes innocentes de Râ. Ces gens-là ne méritaient pas de mourir à cause de la paranoïa d'un général terrien.

Evidemment, il comprenait parfaitement le dilemme de Hammond. Mais qu'il le comprenne ou qu'il l'approuve, peu importait. Il avait reçu des ordres directs et, en toute conscience, il avait choisi de désobéir. Jamais il n'avait fait cela auparavant, de toute sa carrière, de toute sa vie.

Le fait qu'il ait eu raison ne le sauverait pas des conséquences de son acte.

Il avait pris ses responsabilités, fait *son* choix. Et il n'y avait aucune raison pour que Kawalsky et Feretti en subissent les conséquences.

— Je vous remercie, dit-il.

— Hé ! ces gosses sur Abydos m'ont sauvé la vie, à moi aussi ! répliqua Kawalsky.

— Les gosses, ouais...

Surtout un gosse en particulier, qui avait réussi à s'infiltrer dans les lignes de défense ennemies.

— C'est bien à cause d'eux qu'on a gardé le secret, hein ? poursuivit Kawalsky, comme s'ils étaient de vieux camarades évoquant leurs souvenirs au zinc d'un bar. Ce gosse vous idolâtrait, mon colonel. Vous vous souvenez de lui ? Il avait un nom bizarre...

— Skaara.

Skaara. Qui n'avait jamais pu remplacer Charlie, mais qui s'était fait une place dans son cœur de père endeuillé. Il avait encore à l'esprit l'image vivace d'un jeune Arabe aux longs cheveux et aux yeux brillants, vêtu d'une tunique de laine; et qui lui rappelait tant un autre garçon, qui avait le même regard, mais des cheveux blonds.

Il tressaillit.

— Vous vous rappelez qu'il n'arrêtait pas de vous saluer? fit encore Kawalsky en mimant un salut maladroit.

O'Neil eut un sourire contraint, mais répondit d'une voix ferme :

— Ouais. Mon fils faisait la même chose quand il était petit. Skaara me le rappelait un peu.

Kawalsky écarquilla les yeux.

— Vous et moi, on a accompli cette mission ensemble, et... je ne savais même pas que vous aviez un fils, mon colonel!

— Il est mort juste avant la mission Abydos.

O'Neil ne souhaitait pas poursuivre cette conversation. Il voulait se débarrasser du souvenir suivant, celui d'un pistolet semi-automatique gisant sur la moquette pâle, à côté d'une petite main ouverte. Quant à l'image suivante, il la refusait totalement, en bloc.

— Je suis désolé, mon colonel. Je ne savais pas...

O'Neil hocha la tête. Sur le point d'ajouter quelque chose, il se ravisa. La blessure n'était pas encore cicatrisée. Il ne l'avait pas méritée.

Un an s'était écoulé depuis qu'il avait vu Kawalsky pour la dernière fois, et ce dernier avait visiblement envie de raconter ce qu'il avait fait dans l'intervalle. Il se mit à parler, évoqua sa promotion au rang de major, puis la façon brutale dont on l'avait sommé, à l'aube, de rejoindre la base.

O'Neil acquiesçait de temps à autre pour entretenir le

flot de paroles, mais il était plongé dans ses propres pensées.

Abydos. Mieux valait songer à Abydos et à Skaara qu'à Charlie. Il s'émerveillait encore d'avoir été l'un des premiers hommes de l'époque moderne à fouler le sol d'une planète habitée. Enfant, il avait été nourri de science-fiction, avait lu des auteurs tels que Heinlein, Clarke, Bradbury, Asimov ; il était resté éveillé toute la nuit pour assister au retour de la mission Apollo XIII. Puis il avait grandi. Les budgets consacrés aux programmes spatiaux avaient été peu à peu réduits, et il avait abandonné son rêve d'enfant, devenir astronaute, pour se consacrer à des affaires plus sérieuses. Il avait gardé un œil sur Voyager et Explorer, avait ricané devant les cafouillages de Mir, mais sans jamais vraiment envisager d'aller lui-même dans l'espace un jour.

Puis, après la mort de Charlie — il se raidit contre l'émotion douloureuse qui l'envahissait à ce souvenir poignant — il n'avait plus rien envisagé du tout.

Ensuite, aller dans l'espace s'était révélé aussi facile que descendre du trottoir. Ou passer de l'autre côté du miroir. Là-bas, il avait trouvé le Pays des Merveilles et ses trois lunes. Une planète peuplée d'êtres humains. Des gens qu'il n'avait pu se résoudre à annihiler.

Au bout d'un moment, Kawalsky se tut. O'Neil ne trouva rien à dire pour relancer la conversation, et les deux hommes se contentèrent d'attendre en silence.

Ils furent soulagés lorsque la poignée de la porte grinça enfin.

Hammond se dressait sur le seuil, escorté de deux militaires. Kawalsky se leva aussitôt et se tint au garde-à-vous. O'Neil se leva plus lentement.

Le général donnait l'impression de quelqu'un qui

vient de mordre dans un fruit très amer, mais de fermement déterminé à avaler la bouchée.

— Combien de gens vivent sur Abydos, m'avez-vous dit ?

— Environ cinq mille, répondit O'Neil.

Il entrevoyait une lueur d'espoir. Le vieux bougre hésitait, finalement. Plus question de lui cacher un détail, maintenant.

Le général vint s'asseoir sur une des couchettes. Il fit signe à Kawalsky de se mettre au repos.

— Auriez-vous renoncé à envoyer la bombe ? s'enquit O'Neil, qui pensait en réalité : *Auriez-vous renoncé à pulvériser Skaara et Daniel Jackson en particules radioactives ?*

— Je suis ouvert à toute suggestion, c'est tout.

Hammond avait dû réfléchir longtemps et s'entretenir un bon moment par téléphone avec les « Autorités supérieures ».

— Mon général, permettez-moi d'emmener une équipe sur Abydos. Nous découvrirons qui sont ces créatures. Kawalsky et moi, nous nous sommes déjà rendus là-bas, nous connaissons la disposition des lieux ainsi que les habitants.

Hammond avait manifestement envie d'être persuadé. Sans grande conviction, il objecta :

— Vous *croyez* les connaître. Et il se peut que Jackson soit mort. Vous ignorez ce que vous pourriez trouver là-bas.

De toute évidence, il pensait aux quatre militaires morts, aux murs criblés de trous énormes dans la salle du Stargate. Il n'avait pas tort. Si les soldats de Râ utilisaient de nouveau la Porte Abydos, qu'était-il arrivé aux humains qui vivaient là-bas ? Ils pouvaient avoir été faits prisonniers. Avoir été tués. Ou déportés.

D'un autre côté, ce n'était pas sûr. Skaara et Jackson étaient peut-être bien en vie.

— Il n'y a qu'un moyen de le savoir, dit-il enfin.

Avec un soupir, Hammond acquiesça. Kawalsky, que les idées saugrenues du colonel n'enthousiasmaient guère, lui jeta un regard inquiet.

— Bien, fit Hammond. Je vais demander qu'on nous envoie un prototype de sonde...

— Non, non! Nous n'avons pas besoin de sonde! coupa O'Neil.

— Ah bon? demanda Kawalsky faiblement.

O'Neil jeta un coup d'œil autour de lui, repéra ce qu'il cherchait sur le bureau métallique. Une boîte de Kleenex.

— Voilà qui fera parfaitement l'affaire.

Il sortit du bureau en premier, prenant Kawalsky au dépourvu. Hammond le suivit, véloce bien que dérouté. Le major se précipita pour les rattraper.

Quelques minutes plus tard, O'Neil, Kawalsky, Samuels et Hammond étaient réunis dans la salle de contrôle qui surplombait le Stargate. Derrière eux, des techniciens civils se penchaient sur leur matériel. En hauteur se trouvait un écran d'ordinateur sur lequel défilait une suite de symboles étranges. En contrebas, vingt soldats armés jusqu'aux dents pointaient leurs fusils-mitrailleurs vers la Porte, leurs mains remuant nerveusement sur la crosse des armes.

— Chevron numéro quatre verrouillé, annonça l'un des techniciens.

La mine perplexe, Hammond fixait la boîte de Kleenex.

— Puis-je savoir ce que vous avez en tête ?

Sous leurs yeux, l'anneau interne du Stargate effectua une rotation de façon que les deux symboles identiques se retrouvent l'un en face de l'autre. Sur l'écran de l'ordinateur, les symboles s'accordèrent de manière semblable.

— Chevron numéro cinq verrouillé.

L'anneau interne revint en arrière en effectuant presque un tour complet.

O'Neil tenait toujours la boîte de Kleenex à la main. Les yeux rivés sur le Stargate, il répondit distraitement à Hammond :

— Jackson est allergique.

— Oh ! Je comprends ! fit Kawalsky en souriant d'un air entendu.

Pas moi, songea Samuels.

— Chevron numéro six verrouillé.

O'Neil expliqua :

— Il saura que la boîte provient de moi et non, avec tout le respect que je vous dois, mon général, de quelqu'un comme vous.

Hammond fronça brièvement les sourcils.

Souriant, O'Neil emporta sa boîte de mouchoirs « sans lotion ni parfum » hors de la salle de contrôle et passa sur la galerie extérieure. Comme il descendait l'escalier en colimaçon qui conduisait au Stargate, la salle tout entière se mit à vibrer. Une fois de plus, l'anneau interne tourna.

— Chevron numéro sept verrouillé.

Une fontaine de lumière bleue, des particules quantiques aussi disciplinées que de l'eau, explosa dans la pièce, frôlant l'endroit où O'Neil se tenait. Celui-ci ne frémit même pas. Il était bien plus calme que n'importe lequel des hommes présents.

La spirale lumineuse dansa un instant dans l'air, puis parut être aspirée par la Porte, avant de se stabiliser sous la forme d'un disque à la surface ondulante.

D'un pas ferme, Jack O'Neil remonta la rampe d'accès et, sans hésiter, jeta la boîte de mouchoirs à travers le mur de lumière. La boîte disparut, comme happée.

Un moment plus tard, la Porte se referma. Le silence retomba sur la salle. Les techniciens et les militaires se dévisagèrent, indécis.

O'Neil retourna dans la salle de contrôle pour voir une carte des constellations s'afficher sur l'écran de l'ordinateur. Avec intérêt, il suivit la progression d'un petit « x » qui symbolisait la boîte de Kleenex et qui décrivait la trajectoire probable entre le Stargate terrestre et le Stargate d'Abydos.

Le responsable technique s'éclaircit la voix :

— Le, euh... l'*objet* parviendra à destination dans cinq secondes. Quatre. Trois. Deux. Un... L'objet doit maintenant avoir franchi la Porte Abydos.

Ses paroles résonnèrent dans la pièce. Chacun retenait son souffle.

— Et maintenant ? fit Hammond.

— Maintenant, on attend, répondit O'Neil, un petit sourire en coin. Si Daniel est toujours dans les parages, il comprendra le message.

— Et si ce sont les extraterrestres qui s'en emparent ? contra Samuels qui décidément n'appréciait pas l'attitude désinvolte d'O'Neil.

— Eh bien... ils sont peut-être en train de se moucher en ce moment même.

— Ou en train de préparer une attaque ! riposta Samuels avec raideur.

— Allons, Samuels, ne jouez pas les cyniques, laissez-moi ce rôle.

O'Neil ponctua ces mots d'un regard appuyé qui signifiait clairement : *Quand tu auras été là-bas, mon bonhomme, tu seras autorisé à donner ton avis.*

A l'intention de Hammond, le colonel ajouta :

— La réponse va peut-être mettre du temps à nous parvenir, mon général.

En effet, cela prit du temps. Les militaires réintégrèrent la salle de conférences et s'assirent à la table pour boire du café. Au début, ils demeurèrent tendus, comme s'ils s'attendaient à une catastrophe imminente, du style : une invasion extraterrestre en bonne et due forme. Puis, comme les heures passaient, leur nervosité diminua. Finalement, certains affichèrent clairement leur ennui et leur envie d'aller au lit.

Jack O'Neil se tenait devant la baie vitrée, une main reposant sur le montant de bois, les yeux rivés sur la Porte. Ou bien il faisait les cent pas. Ou bien il s'étalait sur la chaise face à Hammond pour se mordiller l'ongle du pouce. A mesure que le temps s'écoulait, le doute s'installait en lui. Un an s'était écoulé, peut-être se faisait-il des idées. Etait-il possible que... ?

Une vibration ! Qui n'avait rien d'imaginaire.

La Porte s'ouvrait en vomissant son énergie bleutée. Hammond et Samuels rejoignirent le colonel près de la fenêtre. En contrebas dans la salle, le bataillon était prêt, les canons des fusils pointés sur le vide de la Porte.

Personne ne tira lorsque la cascade de lumière fusa à travers la pièce. Le temps qu'O'Neil et Hammond descendent l'escalier en colimaçon qui faisait communiquer la galerie avec le Stargate, et le disque scintillant était apparu au centre de l'anneau. Un silence sinistre avait envahi les lieux.

Soudain, quelque chose jaillit de la surface lumineuse. Faisant preuve d'une discipline toute militaire, les soldats retinrent leurs tirs. La Porte se referma. On distingua de nouveau le fond de la salle, comme si rien ne s'était passé.

Sauf qu'à présent, sur la rampe auparavant déserte, se trouvait une boîte de Kleenex couverte de givre. Et vide.

O'Neil courut sur la rampe, ramassa la boîte et l'inspecta. Son soulagement était tel qu'il éprouva un léger vertige. Il avait raison ! Daniel était bien là-bas. Et Skaara aussi, selon toute vraisemblance. Ils étaient vivants et en bonne santé !

Il ne put s'empêcher de sourire largement en jetant la boîte sous le nez des officiers. Samuels l'étudia avec soin avant de montrer à Hammond, sur le côté du carton, quelques mots gribouillés à la peinture : *Merci. Si vous en avez d'autres, je veux bien.*

Hammond émit un ricanement.

Avec une courtoisie empreinte de respect, O'Neil demanda :

— Suis-je autorisé à emmener une équipe sur Abydos, mon général ?

Hammond voulut pousser un soupir censé traduire sa résignation, mais il n'y parvint pas. O'Neil l'avait depuis longtemps gagné à sa cause.

— Sous réserve que j'obtienne la permission du Président, dit-il. Briefing à 8 heures. Considérez-vous comme réintégré dans le service actif, colonel.

4

George Hammond avait passé une mauvaise nuit.

D'un côté, il était franchement soulagé de ne pas avoir à expédier une Marque 5 par le Stargate ; l'idée d'envoyer une arme de cette puissance sur une cible invisible, sans même pouvoir juger des conséquences, représentait une aberration pour le tacticien qu'il était.

D'un autre côté, il n'arrivait pas à oublier ce regard luisant. Hammond n'avait peur de rien, il était capable d'affronter n'importe quel humain, même un démocrate, mais soutenir le regard d'une créature extraterrestre aurait déstabilisé n'importe qui...

Au demeurant, il valait mieux éviter de massacrer cinq mille civils innocents qui n'avaient rien à voir avec lesdits extraterrestres. Hammond n'avait rien contre la raison militaire, mais il détestait le gâchis inutile.

Quoi qu'il en soit, tout ceci aurait eu au moins un point positif : le retour dans l'armée du « fils prodigue », ou peut-être de la « brebis galeuse »...

Hammond leva les yeux sur le colonel Jack O'Neil qui venait d'entrer dans la salle de conférences, avec exactement deux minutes d'avance. Rasé de près, sanglé dans son uniforme, avec son holster et ses bottes brillantes, il était impeccable et n'avait plus grand-chose à voir avec le bûcheron hirsute de la veille. Oui, décidément son retour au service actif était une bonne chose. Car cet homme n'avait rien à faire en retraite.

O'Neil le savait également et il eut du mal à dissimuler son plaisir lorsqu'il retourna le salut de ses subalternes déjà présents dans la pièce, avant de saluer lui-même Hammond. Ce dernier lui répondit volontiers. O'Neil était un sacré soldat, c'était vraiment bon de le voir de nouveau dans l'armée.

Pour l'heure, il y avait du pain sur la planche. Hammond scruta tous les visages autour de la table, identifiant chacun tour à tour, hormis...

— Où est Carter ?

— On l'attend d'une minute à l'autre, mon général, répondit Samuels.

O'Neil était resté debout pour ouvrir la séance. Il consulta le dossier posé devant lui.

— Carter ? répéta-t-il d'un air interrogateur.

— J'ai mis Sam Carter sur cette mission, expliqua Hammond.

— Je préfère choisir moi-même les membres de mon équipe.

— Je comprends, mais pas cette fois, désolé. Carter est notre expert en ce qui concerne le Stargate.

O'Neil se renfrogna :

— D'où vient-il ?

En réalité, la question était : *Qui est ce type ? Puis-je avoir confiance en lui en cas de coup dur ?* C'est alors qu'une voix féminine répondit du pas de la porte :

— *Elle* vient du Pentagone.

O'Neil se retourna pour étudier la jeune personne qui

venait de faire son apparition. Elle était vêtue de façon stricte, très professionnelle. Mais elle était en retard et n'était que capitaine. Et surtout... c'était une femme. De taille moyenne, mince, avec de courts cheveux blonds qui bouffaient autour de son visage. Son uniforme bleu n'avait pas un pli, ses galons rutilaient. Elle était extrêmement séduisante.

Sous le regard attentif de Hammond, O'Neil se dirigea vers la nouvelle venue et lui tendit la main. Mais Carter se mit au garde-à-vous dans un salut très militaire. Sans hésiter, O'Neil changea de tactique et lui rendit son salut.

— Capitaine Samantha Carter, mon colonel.

A la table, Kawalsky chuchota, juste assez fort pour être entendu de tous :

— Mais bien sûr, elle préfère qu'on l'appelle « Sam » !

Sam Carter lui jeta un regard froid tout en prenant place à la grande table.

— Ne vous inquiétez pas, major. J'ai joué à la poupée quand j'étais petite, rétorqua-t-elle.

Hammond avait suivi cet échange avec curiosité. Maintenant, c'était à O'Neil de se débrouiller pour souder son équipe. Voilà qui promettait d'être captivant.

— Avec un G.I. Joe, j'imagine ? s'enquit Kawalsky, ironique.

Il persistait, mais Sam Carter n'était pas du genre à s'écraser. Ce n'était certainement pas la première fois qu'elle rencontrait ce genre de réaction parmi son entourage masculin.

— Non, Matt Mason, riposta-t-elle.

— Qui ça ?

— Le major Matt Mason, la poupée astronaute, expliqua Feretti à Kawalsky, avant de demander à Carter : Dites, vous aviez aussi son vaisseau spatial ?

La jeune femme lui sourit, heureuse de trouver enfin un allié.

Hammond décida de reprendre les choses en main. C'était charmant de constater que Carter avait un point commun avec au moins un membre de l'équipe, toutefois il s'agissait d'un briefing militaire, pas d'une discussion de cour de récré.

— Allons-y, décréta-t-il. Colonel, c'est votre équipe et votre mission. Je vous en prie...

O'Neil se tourna vers Carter, étant donné que ce qu'il allait dire ne s'adressait qu'à elle :

— Bien. Ceux d'entre vous qui n'ont jamais franchi la Porte doivent savoir à quoi s'attendre...

— Je connais presque par cœur votre rapport sur la première mission, mon colonel. Et j'aime à penser que je me suis préparée à cette aventure toute ma vie.

Kawalsky eut un sourire condescendant.

— Hum... Ce que veut dire le colonel, c'est plutôt : Avez-vous déjà effectué une simulation de lâcher de bombes à bord d'un F-16 à plus de 8 G ?

— Mais oui, répondit Carter.

Kawalsky ouvrit stupidement la bouche, avant de la refermer et de répliquer faiblement :

— Eh bien... c'est encore pire que ça !

— Oui, renchérit Feretti. Quand on arrive de l'autre côté, on est complètement gelé, comme si on venait de courir tout nu à travers le blizzard.

— C'est à cause de la compression que subissent vos molécules durant les quelques nanosecondes nécessaires à la reconstitution, lui expliqua-t-elle avec aplomb.

— Ah ! Une autre scientifique, je présume, marmonna O'Neil en grimaçant.

— Je suis docteur en astrophysique théorique.

— Ce qui signifie ?

— Qu'elle est beaucoup plus maligne que vous, colonel ! lança Hammond avec un rire. Surtout quand il est question du Stargate.

Feretti et Kawalsky gloussèrent. L'atmosphère se détendit aussitôt autour de la table, mais Carter, toujours aussi solennelle, enchaîna :

— Mon colonel, j'ai étudié la technologie du Stargate pendant deux ans avant que Daniel Jackson ne parvienne à le faire fonctionner. J'aurais *déjà* dû faire partie de la première mission. (Se penchant soudain, elle articula :) Et cette fois, vous et vos hommes feriez bien de vous faire à l'idée que je vous accompagnerai !

O'Neil n'avait pas l'habitude qu'un simple capitaine s'adresse à lui sur ce ton. Sèchement, il répondit :

— Sauf votre respect, *docteur*, je ne...

— Dans l'armée, il est d'usage d'appeler une personne par son grade, et non ses titres. Vous devez m'appeler capitaine, pas docteur.

Hammond devinait aisément ce que pensait O'Neil de ce sermon sur l'étiquette militaire. A la hâte, il devança l'explosion :

— L'assignation du capitaine Carter à cette mission n'est en aucun cas facultative, colonel. C'est un ordre.

Carter poursuivit d'un ton sentencieux :

— Je suis officier de l'Air Force, tout comme vous, mon colonel. Ce n'est pas parce que mes organes reproducteurs sont internes que j'échouerai là où vous réussissez.

O'Neil sourit, comme un requin aurait souri en repérant un nageur particulièrement appétissant.

— Cela n'a rien à voir avec votre sexe, assura-t-il. J'*aime* les femmes. C'est avec les scientifiques que j'ai un problème.

Carter n'en croyait manifestement pas un mot.

— Mon colonel, j'ai volé plus d'une centaine d'heures dans l'espace aérien ennemi durant la guerre du Golfe. Est-ce que cela vous suffit ? Ou vais-je être obligée de faire un bras de fer avec vous ?

O'Neil ouvrit la bouche, se ravisa et s'assit. Samuels se gratta la gorge :

— Loin de moi l'idée d'amoindrir votre enthousiasme, mais je persiste à croire que le moins risqué et le plus logique serait d'enterrer la Porte, comme l'ont fait les habitants de l'Egypte ancienne pour empêcher les extraterrestres de revenir. A mon avis, c'est la seule façon d'éliminer la menace.

— Sauf que ça ne marchera pas, contra O'Neil.

— Ça a marché avant, intervint Hammond qui avait décidé de jouer l'avocat du diable.

— Non. Ils savent qui nous sommes à présent, et le chemin technologique que nous avons parcouru. Nous représentons un péril à leurs yeux. Comment croyez-vous que ce truc soit arrivé sur terre ? acheva-t-il en désignant le Stargate dans la salle en contrebas.

Le silence retomba.

— Bonne question ! finit par admettre Hammond.

— Ils possèdent des vaisseaux spatiaux, mon général. Celui de Râ était aussi volumineux que la Grande Pyramide. Ils n'ont pas besoin du Stargate pour parvenir jusqu'à nous, ils peuvent le faire à l'ancienne mode. Et avec tout le respect que je dois à monsieur-le-Pessimiste, ajouta O'Neil avec une œillade torve à Samuels, je trouve essentiel d'effectuer une mission de reconnaissance avant que ces créatures ne décident de revenir.

Hammond se mit à réfléchir. O'Neil avait raison, bien sûr. Enterrer la Porte n'interdirait que provisoirement à l'ennemi l'accès à la planète Terre. En revanche, en se privant du Stargate, l'humanité se condamnait la route des étoiles. Car les autres moyens de locomotion dans l'espace n'étaient pas encore vraiment au point...

Une chose était sûre : de l'autre côté de la Porte se trouvait une créature aux yeux luisants. Capable ou pas de se servir d'un Kleenex.

— Je vous donne exactement vingt-quatre heures, décida Hammond. Passé ce délai, si vous n'êtes pas rentrés, ou si vous ne nous avez pas envoyé de message, nous envisagerons le pire et enverrons une bombe là-bas. Attention, cette fois je parle d'un vrai message, pas d'une boîte de Kleenex !

— Compris.

Hammond n'oubliait pas que lors de sa dernière mission, O'Neil avait délibérément torpillé les instructions. Ou peut-être avait-il simplement fait preuve d'esprit d'initiative en tant que commandant responsable d'une unité de combat. Qui sait ? Quoi qu'il en soit, Hammond appréciait ce type. Sans l'approuver, il comprenait les raisons qui avaient motivé sa désobéissance. Protéger des vies innocentes était un devoir que trop de militaires ignoraient la plupart du temps.

Le général aurait eu toute confiance en l'avenir de cette mission s'il n'avait surpris le bref regard échangé entre O'Neil et Carter. Ces deux-là n'en avaient pas fini.

Hammond y pensait encore quelques heures plus tard, quand les membres de la mission, fin prêts dans leur treillis vert, s'alignèrent au pied de la rampe d'accès. L'équipe se composait d'O'Neil, de Carter, de Feretti, de Kawalsky, et de deux autres troufions dont le général ignorait le nom. Cela le contraria, car il aurait dû connaître l'identité de tous ceux qu'il envoyait vers cet immense danger, si loin que la distance défiait l'imagination.

— Cette fois, tâchez d'exécuter les ordres, colonel. Et ramenez-moi Daniel Jackson, compris ?

— Oui, mon général ! fit O'Neil sans sourciller.

Dans un grondement, la Porte s'ouvrit. Hammond et Samuels reculèrent, tandis qu'O'Neil se tournait vers Carter qui fixait le bouillonnement de lumière bleue avec des yeux ronds.

— Capitaine...

— Ne vous inquiétez pas, je ne vais pas vous laisser tomber, coupa-t-elle avec agressivité.

— Très bien, très bien. J'allais juste dire : « Les dames en premier. »

Un peu démontée, elle murmura :

— Vous savez, vous m'apprécierez quand vous me connaîtrez un peu mieux.

— Je vous adore déjà, capitaine !

Les deux soldats sans nom gravirent la rampe et franchirent la Porte. La lumière parut les avaler. Kawalsky et Feretti leur emboîtèrent le pas d'une démarche assurée, en fermant les yeux. Carter avança à pas lents, le souffle court. Parvenue devant le disque étincelant, elle en effleura la surface de l'index, avant d'y passer le bras. Un sourire ravi éclaira son visage.

— L'énergie que doit libérer ce truc pour former un tunnel stable doit être... astronomique, c'est le mot ! chuchota-t-elle.

O'Neil jeta un regard éloquent en direction de Hammond. Daniel Jackson avait réagi exactement de la même manière le jour où il avait franchi la Porte, un an plus tôt.

D'un geste vif, le colonel poussa Carter dans le cercle de lumière. La seconde suivante, les épaules raidies, il la suivait dans l'infini.

Samantha Carter avait effectivement appris par cœur le rapport d'O'Neil. Malheureusement, elle avait oublié qu'un bon compte rendu militaire bannit toute émotion personnelle. Voilà ce qu'O'Neil avait écrit à propos du « voyage » :

Une fois la Porte franchie, le transfert s'est révélé assez perturbant, ce qui a empêché mes hommes de rester en état d'alerte en prévision d'un éventuel combat. Toutefois ces effets désagréables n'ont duré qu'un instant, et au retour nous avons été moins gênés, puisque nous savions à quoi nous attendre.

Cette description n'avait rien à voir avec la vitesse vertigineuse qui emportait Carter dans un tourbillon de couleurs, de lumières et d'étoiles ; ni avec l'apesanteur, cette impression unique d'être trimbalée de haut en bas, cul par-dessus tête, tel un moineau pris au cœur d'un ouragan de force 10 aux vents glacés qui l'enlaçaient et pénétraient son corps pour en congeler chaque fibre...

Cela ne dura qu'un instant. Elle se retrouva projetée

hors de la Porte et tituba, avant de tomber à genoux pour vomir. Puis, comme elle reprenait ses esprits, elle eut conscience du regard dédaigneux que baissait sur elle Jack O'Neil, debout à son côté.

— Vous n'auriez pas dû prendre un déjeuner aussi consistant, dit-il d'un ton faussement apitoyé.

Ce commentaire la vexa suffisamment pour stopper sa nausée. S'essuyant la bouche d'un revers de main, elle se redressa et entreprit d'observer son environnement.

Ils se trouvaient dans une immense salle dont le plafond était soutenu par des colonnes. Des hiéroglyphes couraient sur les murs : des silhouettes mi-humaines, mi-animales, des symboles solaires, des plumes, des chars, et aussi quelques bestioles qui n'avaient jamais existé sur Terre. Les couleurs utilisées étaient pimpantes : du rouge, du bleu, du jaune, du vert, du noir, et parfois une touche de feuilles d'or.

Carter en oublia d'un coup son estomac. D'un pas chancelant, elle s'approcha pour mieux discerner dans la faible luminosité ces traces d'une civilisation extraterrestre, tandis qu'autour d'elle, les autres vérifiaient leur équipement et leurs armes.

Soudain, la lumière inonda la salle. Eblouie, Carter cligna des paupières et se retourna. De nouveau, elle cilla face à la clarté insoutenable d'une douzaine de torches. Le cœur battant, elle distingua enfin une foule de jeunes garçons vêtus de haillons... et qui braquaient vers eux des objets très familiers et bien terrestres : des M-16 de l'US Air Force.

5

Dehors, le vent hurlait. Le sable qui cinglait la pierre crépitait, si bien qu'on croyait entendre une radio mal réglée. Mais selon le rapport lu par Carter, les habitants d'Abydos — descendants des fellahs égyptiens ou de tribus qui avaient vécu sur terre 5 000 ans plus tôt — n'avaient jamais atteint ce degré de technologie.

Les armes étaient sans doute plus faciles à inventer.

Au-dessus des canons des fusils-mitrailleurs, douze paires d'yeux noirs regardaient Carter. Les autres membres de l'équipe semblaient attendre que quelque chose se produise.

— *Cha'hali. Cha'hali*... Baissez vos armes.

Carter sursauta, sans savoir ce qui la stupéfiait le plus : cet accent américain très net, ou bien la traduction de la phrase.

Les garçons obtempérèrent de mauvaise grâce et s'écartèrent pour laisser passer celui qui venait de parler. Carter tourna la tête vers le colonel dans l'attente d'un ordre. Mais ce dernier, Kawalsky et Feretti souriaient largement.

— Salut, Jack. Heureux de vous revoir, dit celui qui s'était avancé.

Il s'agissait forcément de Daniel Jackson, l'égyptologue. Il ne semblait guère plus âgé que les garçons qui l'entouraient, mais sa chevelure blonde se repérait aisément parmi toutes ces personnes au teint mat. Ses vêtements bien terrestres avaient été rapiécés çà et là avec des pans d'étoffe grossière. Il portait des lunettes cerclées de métal et son nez était légèrement rougi, comme s'il avait un rhume.

Carter avait passé des heures à étudier les travaux de ce type sur l'Antiquité et à tenter d'appliquer les principes de la physique à cette période. Le voir ici, en chair et en os, la déconcertait un peu. Jackson manquait de carrure par rapport au personnage qu'elle s'était imaginé.

O'Neil, de son côté, ne regardait pas Jackson, mais un garçon placé légèrement en retrait. Ce dernier était vêtu d'une lourde tunique de laine, et son apparence physique trahissait ses origines arabes : des yeux très noirs, une silhouette mince quoique robuste, d'épais cheveux sombres qui retombaient en nattes serrées sur ses épaules. Il tenait fermement son fusil, dans l'attitude de quelqu'un qui sait parfaitement s'en servir et qui n'hésiterait pas une seconde.

— Skaara ?

La voix d'O'Neil reflétait une joie vibrante, teintée d'une légère incertitude. *Tu te souviens de moi ?* semblait-elle dire. Carter s'étonna. Tiens ! le colonel était donc capable de manquer d'assurance ? Ce côté plus vulnérable lui avait jusque-là échappé.

Elle vit le visage du garçon s'éclairer d'un brusque sourire qui fit étinceler sa denture blanche. Puis, après avoir jeté son arme entre les mains de son plus proche voisin, il se raidit et exécuta un salut militaire passable. Aussitôt O'Neil lui rendit son salut, avant d'aller lui donner une franche accolade.

— Je pensais pas... vous revoir un jour, articula le garçon lorsqu'il recouvra l'usage de la parole.

O'Neil se recula pour l'inspecter de la tête aux pieds, comme le fait un adulte lors d'une réunion familiale devant un enfant qu'il n'a pas vu depuis longtemps. *Regarde-moi ça, comme tu as poussé !* disait son expression ravie et fière.

Quant à Kawalsky et Feretti, ils souriaient eux aussi de toutes leurs dents.

Jackson se racla doucement la gorge. Brusquement arraché à ses réminiscences, O'Neil se tourna vers lui pour lui serrer la main.

— Comment allez-vous, Daniel ?

— Bien, et vous ?

On aurait dit de simples retrouvailles, deux amis qui ne s'étaient pas vus depuis un moment et qui se seraient croisés en ville. Carter secoua la tête. Au moins, en saluant Skaara, O'Neil s'était départi de son impassibilité habituelle. Mais à présent, il avait repris possession de son personnage cynique. *Un truc de mecs, certainement !* ironisa-t-elle *in petto*.

— Mieux, répondit O'Neil à la question de Jackson. Bien mieux, maintenant que je sais que vous êtes tous bien portants.

Kawalsky et Feretti s'approchèrent à leur tour, tandis que Carter et les deux autres soldats demeuraient à l'écart, un peu embarrassés, et les regardaient échanger des poignées de main et se claquer amicalement l'épaule.

— Bonjour de la Terre, docteur Jackson ! lança Feretti, jovial.

— Feretti, Kawalsky... Bonjour, mes amis.

Jackson s'éloigna alors de quelques pas pour faire signe à quelqu'un qui, jusqu'à présent, s'était tenu dans l'ombre d'une colonne.

— Sha'uri ? Ne sois pas timide, viens.

Il reparut en pleine lumière, tenant par la main une jeune femme rougissante. Avec ses cheveux d'un noir bleuté, ses grands yeux sombres et son teint délicat, elle était d'une beauté saisissante et présentait un air de famille très net avec Skaara.

Très protecteur, Jackson lui passa doucement le bras autour des épaules et, à la vue de ce tableau romantique, Carter ne put s'empêcher de ressentir une fugace pointe de jalousie.

O'Neil, de nouveau en plein dans son rôle d'officier et gentleman, saisit la main de la jeune femme brune.

— Heureux de vous revoir, Sha'uri.

Elle sourit avec timidité et rougit de plus belle quand le colonel se pencha pour l'embrasser sur la joue.

Dites donc, O'Neil ! Ce n'est pas très militaire, ça ! songea Carter avec une certaine indignation. *Et même pas militaire du tout !*

Tournant le dos au petit groupe, elle revint près de la Porte Abydos. Après tout, il fallait bien que quelqu'un s'occupe de la mission et les autres semblaient l'avoir complètement oubliée ! Courbée en deux, elle se mit à observer un objet étrange placé près de la Porte. C'était un petit dôme translucide fabriqué dans une matière grossièrement taillée, un genre de quartz rose fracturé, encerclé de deux anneaux sur lesquels étaient inscrits les symboles familiers du Stargate.

— Je savais bien qu'un jour vous seriez obligé d'avouer la vérité, disait Jackson.

— Pourquoi cet accueil martial? s'enquit O'Neil. Est-ce que la situation aurait changé?

— Non, c'est une simple mesure de précaution. Pourquoi?

Carter, qui écoutait d'une oreille distraite, frôla du doigt les symboles gravés. Dans un sursaut, elle comprit à quoi servait l'objet bizarre.

— C'est une console de commande! Voilà comment ils utilisent la Porte! Et dire qu'il nous a fallu quinze ans et trois superordinateurs pour bricoler un système capable d'actionner le Stargate sur Terre!

— Capitaine..., commença O'Neil d'une voix irritée.

— Et regardez comme ce truc est petit! poursuivit-elle, sidérée.

— Capitaine!

Cette fois, elle réagit et se tourna pour constater qu'ils avaient tous les yeux fixés sur elle. Soudain calmée, elle alla tendre la main à Jackson, tout en évitant de croiser le regard de son commandant.

— Docteur Jackson, je présume? Je suis le Dr Samantha Carter.

— Je croyais que vous préfériez qu'on vous donne du « capitaine »? fit remarquer O'Neil.

Carter ne daigna pas répondre. Sans s'étonner de ce trait d'ironie, Jackson demanda, un pli soucieux sur le front :

— Que se passe-t-il, Jack? Pourquoi êtes-vous revenus?

— Parce que six extraterrestres aux manières plutôt hostiles se sont servis du Stargate pour débarquer sur

Terre. Quatre humains sont morts, et une femme a disparu.

— Et l'une de ces créatures ressemblait à Râ ! précisa Kawalsky.

Les autochtones, en particulier Skaara et Sha'uri, maîtrisaient assez l'anglais pour suivre la conversation. Lorsque le nom de Râ fut prononcé, la foule s'anima brusquement et plusieurs garçons, dont la vigilance s'était peu à peu relâchée, agrippèrent farouchement leurs armes.

Jackson essuya machinalement ses verres de lunette.

— En tout cas, ils ne venaient pas d'ici, déclara-t-il. Les jeunes montent la garde à tour de rôle trente-six heures sur trente-six, tous les jours sans exception. Si des guerriers avaient utilisé la Porte Abydos, nous l'aurions su.

— Dans ce cas, c'est qu'ils venaient d'ailleurs ! conclut O'Neil avec un soupir. Daniel, je vais devoir jeter un coup d'œil aux alentours.

— Bien sûr. Je pense pouvoir vous aider à découvrir qui ils étaient, mais il va falloir attendre que la tempête de sable s'apaise.

Puis soudain, comme s'il se souvenait brusquement des bonnes manières, Daniel ajouta :

— Nous étions sur le point de passer à table. Voulez-vous partager notre dîner ?

La salle voisine avait tout l'air d'être le bureau d'un érudit, où s'entassaient des piles de notes rédigées sur un matériau qui ressemblait fort à du papyrus. Mais elle tenait également lieu de cuisine et de salon. Une odeur alléchante s'élevait d'un récipient posé sur le feu, dont

Sha'uri entreprit de remuer le contenu à l'aide d'une cuillère.

Ce récipient, remarqua Carter, détonnait dans l'univers rustique du peuple d'Abydos. Il était ébréché et rayé, mais trop brillant pour faire partie des ustensiles usuels qui jonchaient la cuisine.

Apparemment, O'Neil s'était fait la même réflexion :

— Les gars du M.I.T. seront certainement ravis d'apprendre que leur belle sonde — qui a coûté la bagatelle de plusieurs millions de dollars — a été ingénieusement reconvertie en marmite ! s'esclaffa-t-il.

Un peu penaud, Daniel répondit :

— Oui, euh... elle a été un peu endommagée à l'arrivée, à cause de notre barricade. Alors... on lui a trouvé une utilité. Comme en plus, elle est en titane antiadhésif...

Riant, Sha'uri lui tendit une fourchette pour lui mettre un morceau de viande dans la bouche. Daniel l'avala et lui sourit.

— Très bon. Parfait ! *Beanaa wa*, commenta-t-il, avant de conseiller aux autres : Vous devriez goûter.

Carter obéit. Elle reconnut du riz, et la viande avait le goût de poulet. Les légumes étaient savoureux et croquants, ce qui était plutôt surprenant étant donné que le ragoût avait dû cuire un long moment.

— Ça aussi, goûter, ordonna Skaara qui venait de remplir un curieux verre en forme de pirogue à l'aide d'une gourde en cuir.

Il tendit le récipient à O'Neil qui s'était assis à la place d'honneur près du feu.

— Qu'est-ce que c'est ?

— Boire ! lui enjoignit le garçon, les yeux pétillants de malice.

O'Neil renifla le liquide.

— De la bibine ? s'étonna-t-il. Skaara, c'est toi qui l'as fabriquée ?

— Bi-bine ? répéta Skaara en contemplant sa création d'un air perplexe.

— Oui, de l'alcool. Et tu es trop jeune pour en boire, Skaara. Daniel, nom d'un chien, c'est comme ça que vous éduquez ces gamins ?

Sha'uri rit de nouveau et se blottit contre Daniel qui lui prit furtivement la main.

— Nos petits soldats ont grandi, mon colonel, fit remarquer Kawalsky.

— Certes, et je suis très fier d'eux.

O'Neil reporta son attention sur son verre. Il se méfiait clairement du contenu, et Carter elle-même était soulagée de ne pas avoir été désignée pour goûter le breuvage. Elle n'aurait sans doute pas tenu le choc !

Le regard du capitaine s'égara sur les femmes indigènes présentes. Celles-ci l'observaient à la dérobée et chuchotaient derrière leur main d'un air excité. L'uniforme de Carter et sa place au sein d'un groupe entièrement masculin semblaient les intriguer. De son côté, Carter s'interrogeait sur la condition féminine à Abydos. Depuis le début du repas, Sha'uri avait passé plus de temps à nourrir Daniel qu'à manger elle-même. Etait-ce la coutume ici ? Les femmes n'étaient-elles pas autorisées à se sustenter en même temps que les hommes ? C'était fort possible, étant donné leur culture d'origine, mais bon, finalement, ça ne la regardait pas...

— Essaie ! lança Skaara à O'Neil qui tournait son verre entre ses doigts sans faire mine d'y toucher.

— O.K., mais tu sais qu'il n'est pas bon d'en boire trop, n'est-ce pas ?

— Il est au courant, confirma sèchement Daniel.

O'Neil but une longue gorgée. Ses joues et son front s'empourprèrent brusquement, il s'étrangla et se mit à tousser.

— Ooouuuhh ! C'est de l'alcool pur ! râla-t-il.

— Bi-bine.

— Oui, c'est... super, Skaara. Vraiment délicieux, ta petite décoction, je... félicitations !

Un large sourire aux lèvres, Skaara ouvrit un petit pochon suspendu à sa ceinture et en retira un briquet qu'il présenta solennellement à O'Neil, comme s'il s'agissait d'une relique sacrée. Le colonel, qui avait repris son souffle, afficha un air surpris, puis il secoua la tête.

— J'ai arrêté de fumer, dit-il. De plus, c'est un cadeau. Tu dois le garder.

Skaara esquissa un geste qui signifiait : *Tu es sûr ?* Comme O'Neil acquiesçait avec sérieux, le garçon s'éclipsa en rempochant son briquet.

— Vous savez, il ne l'a pas quitté depuis que vous êtes parti, fit remarquer Daniel.

— C'est vrai ?

En dépit du ton détaché, le colonel était ému, Carter l'aurait juré. C'était vraiment incroyable. Daniel avait dit « depuis que vous êtes parti », comme si les relations d'O'Neil et de ces gens ne s'étaient interrompues que très brièvement. De toute évidence, O'Neil, Kawalsky et Feretti partageaient une réelle complicité avec les indigènes. Ils appréciaient leur compagnie et les respectaient visiblement, ce qui expliquait pourquoi O'Neil avait « omis quelques détails » dans son rapport.

C'était encore une autre facette du caractère complexe du colonel. Elle se surprit à l'étudier, perplexe, en se demandant quelles autres surprises il lui réservait.

— Donc, si je vous suis bien, ce type qui ressemblait à Râ a dû passer par une autre Porte, déclara Daniel de but en blanc.

— Quelle autre Porte ? s'enquit Carter, brutalement arrachée à sa rêverie. Le Stargate ne conduit qu'ici, que je sache.

— Je... hum... je pense que vous vous trompez.

Carter s'indigna. Pour qui se prenait cette espèce d'égyptologue crasseux retourné à l'époque des cavernes pour oser contredire une scientifique remarquable qui avait potassé le sujet plus que n'importe qui ?

— J'ai étudié la question, figurez-vous ! s'exclama-t-elle. Les techniciens de mon équipe et moi-même avons calculé des *centaines* de combinaisons possibles en mélangeant les symboles. Ça n'a jamais rien donné, nous sommes toujours tombés sur du vide interstellaire.

— Oui, bien sûr. Je ne dis pas que vous n'avez pas travaillé très dur. Mais peut-être avez-vous fait fausse route...

— De quoi parlez-vous ? intervint O'Neil, une intonation plus dure dans la voix.

Avant que Daniel ne puisse répondre, Skaara passa la tête par la porte :

— Daniel, la tempête est finie.

— Parfait. Venez, je vais vous montrer.

L'égyptologue se mit debout et Sha'uri l'imita aussitôt.

— Sha'uri, *ben qua ri*, Jack et ses amis... voir le *vili tao an*.

Ce méli-mélo linguistique parut avoir un sens pour Sha'uri qui fronça les sourcils et lança un regard inquiet aux membres de l'équipe terrienne.

— *Bonni wai ?*

Elle semblait vouloir les accompagner. D'un air apaisant, Daniel assura :

— Nous ne serons pas longs, je te le promets.

Il se pencha et voulut lui poser un baiser sur le front. Mais Sha'uri se jeta dans ses bras pour l'étreindre farouchement et lui donner un baiser passionné qui déclencha les rires et les sifflets chez les spectateurs.

— Au revoir, mon Daniel.

Daniel se dégagea mollement, un sourire niais aux lèvres. Carter, ahurie au point de ne plus retrouver son souffle, considérait le jeune couple. Si avec ça Daniel ne rentrait pas très vite au bercail... !

Rougissant, Jackson se dirigea à reculons vers la sortie. Visiblement, il avait presque autant de mal à quitter Sha'uri qu'elle en avait à le laisser s'éloigner.

Ils sortirent de la grande pyramide d'Abydos pour émerger au grand jour sous un soleil de plomb dont les rayons se réverbéraient sur le sable blond des dunes.

— On ne peut pas dire que cet endroit m'ait manqué ! rouspéta Kawalsky, paupières plissées pour lutter contre l'éblouissement.

Ils avaient décidé que Feretti et les deux autres soldats resteraient dans la fraîcheur de la salle du Stargate afin de préparer le matériel. Quelques garçons munis de torches les accompagnaient.

— Venez, fit Jackson en prenant la tête du groupe d'un pas décidé.

Il emprunta le plan incliné d'au moins trente mètres de long qui sortait de l'édifice et conduisait au sol d'Abydos. Les autres le suivirent. En chemin, Samantha Carter s'arrêta à deux ou trois reprises, tout d'abord pour contempler les trois énormes lunes qui apparaissaient dans le ciel bleu, et ensuite pour estimer la taille démesurée de la pyramide. Celle-ci faisait au moins dix fois le volume de la pyramide de Kheops sur Terre. La tempête avait enfoui la base dans du sable jaune clair, mais même ainsi les deux obélisques qui se dressaient au bout de la rampe s'élevaient à plus de vingt-cinq mètres de hauteur.

— C'est incroyable ! souffla-t-elle.

Ils continuèrent leur progression, s'éloignèrent de la pyramide. Survoler l'Irak en F-16 n'avait donné à Samantha Carter qu'un vague aperçu de ce que pouvait être une promenade dans le désert. Elle glissait dans le sable, trébuchait, se tordait les chevilles, tâchant d'ignorer les regards moqueurs que lui lançaient O'Neil et Kawalsky. Au sommet d'une côte particulièrement raide, elle dérapa, dévala la pente dans un roulé-boulé et atterrit sur le postérieur. Une main se tendit vers elle pour l'aider à se relever, mais elle la dédaigna et la main retomba aussitôt.

Carter ignorait quel était leur lieu de destination, mais manifestement il ne s'agissait pas de la petite cité qu'ils étaient en train de contourner. La ville semblait trop petite pour accueillir cinq mille personnes, mais après tout elle n'y avait jamais mis les pieds, alors comment savoir ? Elle apercevait des murs de torchis et quelques toitures, guère plus. Sans doute y avait-il une source là-bas. Les légumes qu'ils avaient mangés devaient bien pousser quelque part, et le transport des biens de consommation n'avait pas l'air très développé dans le coin...

De loin, elle discerna une « chose » semblable à un mammouth au poil laineux et qui paraissait sortir tout droit de l'imagination de Steven Spielberg. Mais aucune route, juste du sable.

Enfin ils atteignirent des collines. Au grand soulagement de Carter, le sable laissa la place à un sol rocailleux jonché de petits buissons grisâtres, où la marche était bien plus facile que dans les dunes. En se retournant, la jeune femme fut surprise de voir encore la pyramide qui marquait l'emplacement de la Porte Abydos. Elle pensait avoir parcouru bien plus de chemin que cela !

— Allons capitaine, ne traînez pas ! lui enjoignit O'Neil d'un ton sarcastique.

Carter se remit en route. Quelques pas supplémentaires les amenèrent devant une fissure qui perçait la roche à flanc de colline. De là, ils débouchèrent dans une grotte. Après la fournaise qui régnait au-dehors, la chute brutale de température et l'obscurité les surprirent.

— Après votre départ, il y a un an, j'ai décidé d'explorer un peu la région, expliqua Daniel d'un ton presque contrit. Au début, je suis resté aux alentours de la ville et de la pyramide. Puis, au bout d'un mois, j'ai découvert cette grotte. Capitaine-docteur, vous allez adorer ça !

A tour de rôle, les garçons qui escortaient Daniel allumèrent leurs torches. Optant pour une approche plus moderne, O'Neil et Kawalsky se servirent de leurs lampes électriques, qui n'étaient pas de trop en dépit des deux chandeliers placés sur des tables, et qui supportaient chacun dix bougies, neuf disposées en cercle et une dixième au milieu.

La grotte était immense. Le plafond s'élevait très haut au-dessus de leurs têtes. Contre un mur s'alignaient des obélisques de marbre noir sculpté et deux statues de presque dix mètres de haut représentant des dieux égyptiens assis sur leur trône. Ils faisaient face à un emblème géant gravé dans la paroi rocheuse, dont les crénelures avaient été remplies d'or fondu pour créer un *oudajeet*, autrement appelé « Œil de Horus ».

Plus étonnant encore : entre les deux obélisques, les murs de la salle étaient couverts de lignes de symboles, du sol au plafond. Les deux pierres dressées étaient elles aussi gravées de symboles. Contrairement à l'Œil de Horus, ces symboles n'étaient pas des hiéroglyphes égyptiens, mais des combinaisons des symboles du Stargate.

— Mon Dieu ! souffla Carter. C'est stupéfiant ! C'est la découverte archéologique du siècle !

Ou du millénaire. Ou de l'ère !

Elle prit sa lampe torche dont le faisceau balaya les gravures. Puis, surexcitée, elle posa la lampe pour saisir un appareil photo et commença à mitrailler la paroi.

— Avez-vous réussi à les traduire ?

— Je pense, acquiesça timidement Daniel.

Comme il restait silencieux, O'Neil s'impatienta :

— Et alors ?

— En fait, ça ne dit pas grand-chose. C'est plutôt une sorte de carte.

— Qui représente ?

— Eh bien... je n'ai pas encore réussi à *tout* analyser. Rendez-vous compte, cela me prendrait une vie entière !

Perspective qui semblait l'emplir de ravissement. Sans doute la version archéologique de la sécurité de l'emploi, songea Carter.

Le flash de l'appareil ne fonctionnait pas très bien et elle tira sa caméra vidéo de son sac à dos.

Clairement exaspéré cette fois, O'Neil demanda :

— Daniel, nous n'avons pas beaucoup de temps devant nous. De quelle carte s'agit-il ?

Jackson recula et désigna la roche, comme s'il se trouvait dans une salle de classe et montrait la projection d'une diapo.

— On dirait bien que ces lignes se divisent par groupes de sept symboles. Tous ces groupes sont reliés entre eux.

Il se passa la main dans les cheveux, cherchant à s'exprimer de la façon la plus simple possible, et ajouta :

— Vous voyez où tout cela nous mène, n'est-ce pas ?

— En tout cas, vous allez nous le dire.

— Tous ces symboles sont sur le Stargate dans la salle Abydos. Je suis parvenu à en retrouver quelques-uns dans les constellations du ciel d'Abydos. Enfin, ça y ressemblait beaucoup...

Visiblement, ce n'était pas l'explication claire et concise qu'espérait O'Neil. Daniel Jackson secoua la tête, apparemment stupéfait que son ami ne saisisse pas ce qui, pour lui, était aussi limpide.

— Jack, à mon avis, il s'agit d'une carte représentant un vaste réseau de Stargates. Il y en aurait plein la galaxie !

— Je ne pense pas cela possible, docteur, objecta Carter en relevant la tête du viseur de la caméra.

— Et pourquoi ?

Carter se préparait déjà à mener tambour battant une rude bataille académique.

— Parce que, après le retour du colonel O'Neil et de son équipe, *mon* équipe a testé des centaines de combinaisons de symboles en prenant la Terre comme point d'origine. Et cela n'a jamais marché.

Daniel opina vigoureusement du chef :

— J'ai fait la même chose ici, et ça n'a pas marché non plus. J'imagine que les destinations que j'ai essayées sont détruites ou enterrées. Mais il en existe encore sûrement d'autres, quelque part.

— Je ne pense pas, répéta Carter.

— Dans ce cas, d'où venait votre sosie de Râ? (Prenant O'Neil à témoin, Daniel poursuivit :) Ecoutez, je ne prétends pas être un génie en astrophysique, mais je crois savoir que les planètes se déplacent. Je veux dire, qu'elles dévient peu à peu de leur trajectoire habituelle, qu'elles se décalent. Un tel phénomène aurait pour résultat de bouleverser l'agencement de la carte, non?

Le sourire légèrement condescendant de Carter s'effaça et se mua en une mimique approbatrice. C'était bon. Très bon! Un vrai plaisir de perdre un duel comme celui-ci, parce qu'on y gagnait par la même occasion une nouvelle perspective, et donc qu'on y gagnait tout court.

— Je savais que vous étiez quelqu'un de bien, commenta-t-elle simplement.

Jackson lui jeta un regard un peu décontenancé.

— Vraiment? dit-il. Vous pensez que j'ai raison?

— Selon la théorie du Big Bang, l'univers est en expansion croissante. Tous les corps qui gravitent dans l'espace s'éloignent de plus en plus du point d'explosion.

— Et comme des milliers d'années se sont écoulés depuis la construction du Stargate...

— Toutes les coordonnées ont pu être modifiées! acheva-t-elle.

Daniel fronça les sourcils tout en réfléchissant sur sa propre hypothèse.

— Dans ce cas, pourquoi le Stargate fonctionne-t-il encore entre la Terre et Abydos? murmura-t-il enfin.

— Si le réseau Stargate existe bien tel que nous le concevons, la Porte Abydos est sans doute la plus proche de la Terre. Or, plus les planètes sont proches, plus le décalage est petit. Dans le cas d'Abydos, il doit être insignifiant, mais dans quelques milliers d'années, la Porte ne fonctionnera plus.

— A moins que les coordonnées ne soient corrigées.

O'Neil et Kawalsky suivaient cet échange entre les deux scientifiques en balançant la tête de gauche à droite, comme s'ils assistaient à un match de tennis.

— Ce qui ne devrait pas être compliqué si nous nous basons sur cette carte ! enchaîna Carter, triomphante. Il n'y a qu'à rectifier l'effet Doppler, ensuite je devrais pouvoir obtenir un modèle informatique qui calculera tout seul les nouvelles coordonnées. Et la Porte fonctionnera de nouveau !

Kawalsky n'avait pas tout compris, mais il était quand même capable de reconnaître un argument décisif quand celui-ci se présentait.

— Alors, ça nous mène où ? demanda-t-il.

— Toute civilisation assez avancée sur le plan technologique pour construire un tel réseau de Portes serait en mesure de corriger une déviation stellaire de 50 000 ans, répondit Carter.

— Le Stargate peut mener dans d'autres endroits qu'Abydos ? demanda O'Neil qui n'avait pas encore percuté.

— Oui. Les créatures extraterrestres pouvaient débarquer de n'importe où.

O'Neil scruta les gravures sur le mur, cherchant à calculer de tête le nombre de possibilités que représentaient les groupes de symboles. Il renonça. Il y en avait des milliers. Des milliers de nouveaux mondes !

— Mon colonel, avec votre permission j'aimerais filmer cette salle avec la caméra digitale, dit Carter en repassant dans sa position de subalterne. Quand nous reviendrons sur Terre, je chargerai les images dans l'ordinateur afin d'obtenir des résultats plus rapides.

Secoué, O'Neil hocha la tête. Des milliers d'autres mondes. Combien parmi ceux-ci étaient peuplés de créatures aux yeux brillants ?

— D'accord, acquiesça-t-il. Mais dépêchez-vous.

Dans la salle du Stargate Abydos, Louis Feretti rédigeait un rapport sur l'ordinateur portable. Un instant, il fut distrait de sa tâche par Sha'uri et une autre femme qui demandaient à un membre de la jeune junte militaire de leur apporter de la nourriture. Les deux autres soldats ne faisaient même pas mine de travailler, trop accaparés par le spectacle. Le banquet prévu en l'honneur des invités terriens promettait d'être démesuré. Les femmes s'affairaient en jacassant, telles des grands-mères le jour du Thanksgiving. Elles tenaient visiblement à ce que tout soit parfait pour leurs hôtes, et le fait que ceux-ci soient déjà gavés jusqu'aux amygdales n'était qu'un détail insignifiant.

— Daniel a de la chance. Cette fille est superbe, fit Feretti en refermant son portable.

En entendant prononcer le nom de son bien-aimé, Sha'uri releva la tête et sourit. Feretti lui rendit son sourire, vaguement jaloux de Daniel. Certains petits veinards, lorsqu'ils se retrouvaient largués aux confins de la galaxie, se débrouillaient quand même pour dénicher une beauté renversante qui les vénérait !

Le cheminement de ses pensées fut brutalement interrompu, car la salle tout entière se mit à vibrer dans un grondement sinistre.

Les femmes relevèrent la tête, l'air terrifié. Tandis que les plats emplis de mets aussi délicats qu'inconnus glissaient de la table et s'écrasaient par terre, les garçons Abydos et les trois terriens saisirent leurs armes.

Au moment où la Porte s'activait et vomissait sa spirale lumineuse, Feretti plongea pour se mettre à l'abri derrière un banc de pierre. Dès que la Porte se stabilisa, six gardes-serpents firent leur apparition, suivis par celui qui avait déjà fait une entrée remarquée par la Porte terrestre.

— Bon Dieu ! souffla Feretti en s'efforçant de viser sa cible.

Voyant qu'un comité d'accueil les attendait, le chef tout d'or vêtu jeta à ses gardes :

— *Brichnk !*

Les gardes-serpents ouvrirent le feu avec leurs étranges bâtons. Les bancs de pierre derrière lesquels les garçons et les soldats s'étaient retranchés se désintégrèrent dans un fracas assourdissant, tandis que des éclats de pierre fusaient en tous sens. Les femmes hurlèrent. Feretti aurait bien crié lui aussi, mais il était trop occupé à mitrailler les intrus, à l'instar de ses camarades.

L'armure des gardes-serpents résistait aux balles, pourtant Feretti ne cessa pas de tirer, même lorsque ses deux camarades s'écroulèrent, un trou béant au milieu de la poitrine. Il continua de tirer tandis qu'autour de lui, des garçons tombaient et mouraient comme des mouches.

Voyant qu'il était inutile de résister, Skaara se glissa derrière un pilier et fit signe à Sha'uri de le rejoindre.

— *Sha'uri ! Shim rota ! Shim rota !*

Feretti l'entendit à peine. Soudain, jaillie de nulle part, une énorme main invisible le frappa à l'épaule, le faisant pivoter si brutalement qu'il en lâcha son arme. Dans un demi-brouillard, il vit la créature dorée repérer Sha'uri qui poussait des hurlements hystériques, et jeter un ordre à ses gardes. Un autre coup atteignit Feretti en plein visage et la vision de son œil gauche se brouilla. Aveuglé par le sang qui coulait de sa blessure, il distingua quand même l'un des gardes-serpents qui ceinturait Sha'uri et la traînait jusqu'à son chef. Voyant cela, Skaara poussa un cri de colère et se précipita vers l'ennemi en faisant feu de son fusil-mitrailleur. Un autre garde leva alors son bâton dont l'extrémité s'ouvrit largement pour se charger en énergie destructrice. Il pointa l'arme sur Skaara, prêt à l'anéantir.

Celui qui semblait être le commandant des gardes-serpents intervint alors en déviant le bâton. Puis il se tourna vers le chef.

— *Chel Koll, Makka sha ?*

Feretti ne voyait presque plus rien, mais ses oreilles fonctionnaient encore. Il entendit le commandant des gardes s'adresser à Skaara :

— Cette arme n'est pas à toi. Où l'as-tu prise ?

Le chef doré ne parut nullement intéressé par cette question. Souriant, il saisit Skaara par la gorge pour le soulever jusqu'à sa hauteur. L'arme du jeune garçon rebondit par terre, tandis que le masque doré se repliait pour révéler un visage qui aurait pu être humain nonobstant ses yeux luisants.

— Bon choix, Teal'c. Un spécimen parfait, approuva-t-il.

Comment se fait-il que je le comprenne ? s'interrogea Feretti.

Il était avachi contre le sol de pierre et observait la scène de son mieux à travers son œil à demi fermé.

Le bracelet de métal enroulé autour de la main et des doigts du chef se mit à briller, tissant une toile d'énergie autour de Skaara, de sa nuque et de sa colonne vertébrale. Skaara s'affaissa, et le chef poussa son corps inanimé dans les bras d'un garde. Puis il balaya d'un regard victorieux la salle dévastée.

Pendant un long moment, on n'entendit plus que les pleurs des femmes et les gémissements des garçons survivants. Six d'entre eux étaient morts, et ce salopard avait l'air assez fier de ce qu'il venait d'accomplir.

Le chef se tourna alors vers Sha'uri et l'attira à lui en la jaugeant comme un maquignon détaille un cheval de prix. Il lui pinça les joues, l'obligea à ouvrir la bouche pour inspecter ses dents, passa ses doigts dans l'épaisseur de sa chevelure. Pétrifiée de terreur, la jeune femme refusait néanmoins de s'effondrer. Le chef sourit en lisant le défi dans son regard. Puis, d'un geste vif, il déchira sa robe sur toute sa longueur.

Un long moment, il contempla sa nudité dévoilée, puis, sans cesser de sourire, il murmura :

— Tu seras peut-être l'élue.

Sha'uri voulut fuir, mais elle fut vite rattrapée par les gardes-serpents. Se désintéressant momentanément d'elle, le chef s'approcha du dôme de quartz qui avait tant intrigué Carter un peu plus tôt. Il appuya sur plusieurs symboles qui s'illuminèrent sous ses doigts. En dépit du vertige qui l'assaillait, Feretti s'obligea à regarder et à mémoriser les gestes effectués.

La Porte s'ouvrit dans un vrombissement infernal. Le chef se saisit de Sha'uri et disparut.

Feretti commençait à ne plus pouvoir oublier son épaule et son œil blessés. Il ressentait à présent une douleur insupportable. Quelques secondes encore, il résista à l'évanouissement. Puis, comme les gardes-serpents suivaient les traces de leur chef en entraînant Skaara par la Porte, Feretti se laissa sombrer dans un tunnel noir sans fin, jusqu'à ce qu'il ne perçoive même plus les sanglots des gosses qui l'entouraient.

6

— Sha'uri !

Ce fut le premier mot qui jaillit de la gorge de Jackson. Jusque dans la grotte, ils avaient perçu les vibrations caractéristiques qui signalaient l'ouverture de la Porte. Aussitôt, ils avaient su que ceux qui se présentaient n'étaient pas envoyés par le général Hammond, et ils avaient couru vers la pyramide.

Jackson, O'Neil, Kawalsky et Carter se ruèrent en premier dans la salle pour découvrir une scène de carnage. Des femmes pleuraient, penchées sur les cadavres. Jackson courut dans leur direction et s'agenouilla devant un garçon qui agonisait. Pendant ce temps, Carter et Kawalsky volaient au secours de leurs camarades militaires. Bien vite, ils se rendirent compte que pour deux d'entre eux, il était trop tard.

O'Neil procéda à une rapide inspection de la salle pour s'assurer qu'aucun ennemi n'était resté tapi dans un coin, et également pour évaluer les dégâts. Ses lèvres étaient blanches de rage.

Samantha Carter prenait le pouls de Feretti. Dents serrées, elle luttait contre son envie de vomir à la vue de son bras et de son visage couverts de sang. Soulagée, elle perçut enfin une faible pulsation. A son côté, Kawalsky ouvrit une trousse médicale et entreprit de découper l'uniforme raidi par le sang coagulé. Feretti remua soudain en gémissant. Comme Carter levait la main pour la poser sur ses lèvres, Kawalsky la retint.

— Non, laissez-le parler !

— J'ai... vu... les symboles... râla Feretti.

Il ânonna encore quelques phrases décousues, avant de retomber sans connaissance.

Un peu plus loin, Daniel tentait de faire parler le garçon pour comprendre ce qui s'était passé.

— C'est fini, ils sont partis, lui dit-il. Raconte-moi ce que tu as vu.

— C'était... Râ.

— Voyons, Râ est mort. *Tao qua*, Râ.

— Non, non ! Râ... J'ai vu... ses yeux. Il a emmené Sha'uri... et Skaara... dans le Chaapa-ai !

Daniel blêmit.

— Où ça ? s'écria-t-il. Tu l'as vu ? Montre-moi les symboles !

Il saisit le garçon aux épaules, mais celui-ci ferma les yeux. Il eut une sorte de hoquet et sa tête retomba. Il était mort.

Daniel se releva et se précipita vers le dôme de quartz placé près de la Porte. Avec impuissance, il fit courir ses doigts sur les symboles gravés.

Kawalsky, qui achevait de bander de façon rudimentaire le bras de son ami Feretti, releva la tête et demanda :

— Comment est-ce possible, Daniel ? Se peut-il qu'il existe un autre Râ ?

La peur, la colère et le désarroi déclenchèrent une vive réaction chez Jackson :

— Et comment le saurais-je, bon sang? J'aurais dû laisser la barricade en place. Tout est ma faute...

Discrètement, Carter fit signe à O'Neil et lui expliqua que Feretti avait besoin de soins médicaux. Jackson l'entendit et, désignant le Stargate, il soupira :

— Allez-y, retournez sur Terre. Je peux vous y renvoyer...

— Non! décréta O'Neil. Cette fois, vous rentrez avec nous, Daniel. J'ai reçu des ordres précis.

L'expression de Jackson se modifia. Les traits durcis, il marcha droit sur le colonel.

— Je me contrefiche de vos ordres, colonel! Ils ont emmené ma *femme* quelque part là-bas, ainsi que Skaara!

— Oui, et la seule façon de les retrouver est de revenir sur Terre avec nous!

— Feretti a vu les symboles utilisés par l'ennemi, confirma Carter. Lui seul pourra nous dévoiler l'endroit où sont retenus Sha'uri et Skaara, mais seulement lorsqu'il sera en état de parler. Quant à moi, j'ai tous les renseignements indispensables dans ma caméra vidéo.

Durant un long moment, Daniel Jackson demeura immobile, le regard fixé sur le peuple Abydos. A présent, la salle était bondée d'hommes et de femmes venus de la ville, tous parents et amis des jeunes gens qui avaient combattu l'envahisseur si courageusement, mais en vain. Ils le regardaient, lui l'étranger, le grand chef qui avait vaincu le monstre Râ. Et tous se demandaient : que va-t-il faire, maintenant que Râ est de retour et qu'il a enlevé Sha'uri et Skaara pour se venger?

Sha'uri était le lien le plus cher qui unissait Jackson

au peuple Abydos et elle avait disparu. Allait-il les abandonner ? Avait-il seulement une raison de rester désormais ? Son bonheur s'était évanoui, remplacé par la menace dont tout le monde se croyait pourtant débarrassé.

Daniel prit une profonde inspiration et demanda aux indigènes de s'approcher de lui.

— Quand nous serons repartis par le Chaapa-ai, vous devrez l'enterrer de nouveau, puis quitter cet endroit, dit-il d'une voix forte et claire.

— Tu vas revenir ? demanda une voix pleine de tristesse du fond de la salle.

Daniel secoua la tête.

— Non. Personne ne pourra revenir pendant un long moment, c'est ce que j'essaie de vous dire.

Jetant un regard brûlant de haine vers la Porte, il ajouta :

— Dès que nous serons partis, vous enterrerez la Porte sous des tonnes de pierres, puis vous scellerez la salle. Le Chaapa-ai est maléfique, il n'apporte que des malheurs, vous comprenez ?

— Mais c'est par lui que tu es venu, Daniel, insista la voix.

Le garçon qui s'exprimait ainsi s'écarta de la foule et vint se planter devant Daniel, un air de défi sur le visage. Daniel tendit la main pour frôler sa tête brune, comme aurait pu le faire un patriarche de l'Ancien Testament. Sa voix se fêla lorsqu'il répondit :

— Rappelle-toi l'histoire que je t'ai racontée : les anciens Egyptiens, de retour sur Terre, se sont coupés de Râ pour se protéger. C'est exactement ce que vous devez faire de votre côté. Puis, d'ici un an jour pour jour à compter d'aujourd'hui, vous ôterez la barricade de pierre. Ce jour-là, j'essaierai de vous ramener Sha'uri. Mais si j'échoue, vous devrez de nouveau enfouir la Porte. Pour toujours cette fois.

Il déglutit avec peine, puis leur demanda d'exprimer leur accord dans leur propre langue :

— *Joa qua ?*

Les joues striées de larmes, le garçon se jeta dans les bras de Daniel. Puis, sous le regard de l'équipe terrienne, les indigènes Abydos firent cercle autour du scientifique pour lui souhaiter au revoir, le toucher et le serrer dans leurs bras, autant pour le rassurer que pour se rassurer eux-mêmes.

Enfin, d'une voix raffermie, Daniel reprit :

— Maintenant, promettez-moi de faire ce que je vous ai demandé.

Un murmure d'assentiment solennel monta de la foule. Et le garçon parla au nom de tous :

— Nous te le promettons, Daniel.

Dans la salle du Stargate sur Terre, les soldats s'activaient et installaient une ligne de défense. Tout autour de la Porte, on avait disposé des mitrailleuses protégées par des sacs de sable empilés. Les hommes s'étaient munis de cartouchières supplémentaires bourrées de munitions, et on avait encore ajouté quelques petites surprises çà et là.

Au moment où l'anneau interne se mettait à cliqueter, une vibration s'amplifia dans l'air. Au son du grondement croissant, Samuels et Hammond relevèrent vivement la tête. Une sirène d'alarme retentit, et une voix jaillit des enceintes :

— Préparez-vous pour la réception ! Préparez-vous pour la réception !

La spirale de lumière éclaboussa la pièce, s'avança, se rétracta. Comme elle se stabilisait, toutes les personnes présentes retinrent leur souffle.

Le colonel O'Neil franchit la Porte. Il portait un corps ensanglanté, comme s'il s'agissait d'un enfant endormi. Kawalsky le suivait, titubant sous le poids des deux cadavres posés sur ses épaules. Fermaient la marche le capitaine Carter, ainsi qu'un homme à lunettes, dépenaillé, dont les traits livides étaient figés par le chagrin.

Sans attendre, O'Neil s'approcha de la table la plus proche pour y déposer son fardeau.

— Fermez l'iris ! hurla Samuels dès que le dernier membre de l'équipe eut franchi la Porte.

Un ingénieur poussa un bouton. En entendant un crissement aigu, Carter sursauta et, à l'instar de tous ses compagnons valides, se retourna vivement, la main sur son arme. Ils virent alors un diaphragme métallique se refermer sur la Porte pour en condamner le passage.

— Qu'est-ce que c'est que ce truc ? demanda O'Neil au général Hammond.

— Notre parade contre une autre invasion extraterrestre. C'est moi qui en ai eu l'idée en pensant à la barricade que Jackson a construite sur Abydos. Celle-ci, que nous surnommons « l'iris », est en pure titane et infranchissable, du moins l'espérons-nous.

Avisant soudain les corps inertes des trois militaires, Hammond se rembrunit et demanda :

— Que s'est-il passé, colonel ?

— Notre camp a été attaqué pendant que nous étions partis en reconnaissance. Ces deux-là sont morts, et Feretti ne vaut guère mieux.

Une équipe d'infirmiers se pressait déjà pour déposer Feretti sur une civière et soulager Kawalsky de son sinistre fardeau.

— De qui provenait l'attaque ? Des mêmes ennemis qui nous ont assaillis ici ?

— Selon toute vraisemblance, oui mon général. La femme de Jackson et un de mes gosses ont été kidnappés.

— Vos... gosses ? répéta le général, interloqué, après avoir laissé passer quelques secondes de silence.

— Oui, ceux qui m'ont aidé lors de la première mission, mon géné...

Incapable d'attendre plus longtemps, Daniel coupa la parole au colonel :

— Général ? Je... hum, je suis Daniel Jackson. Nous ne nous connaissons pas encore, mais... je voudrais faire partie du prochain équipage.

Avec une certaine hauteur, Hammond dévisagea le jeune égyptologue avant de s'attarder sur son apparence négligée : cheveux longs, lunettes de travers, tunique de laine rapiécée et, pour couronner le tout, une forte odeur de bouc.

— Vous n'êtes pas en position d'exiger quoi que ce soit, Jackson, rétorqua-t-il enfin d'un air réprobateur.

Jackson tressaillit et retomba dans le silence. Tandis que l'équipe médicale emportait les trois civières, le général et la mission Abydos quittèrent la salle du Stargate, O'Neil et Hammond marchant en tête.

— Mon général, dit O'Neil, il faut que vous sachiez que l'ennemi ne venait pas d'Abydos. Daniel détient la preuve qu'il existe un vaste réseau de Stargates dans la galaxie. Et ces Portes peuvent conduire n'importe où.

— Un réseau, dites-vous ?

Hammond avait pilé net, les yeux écarquillés de stupeur. Dans son dos, Carter intervint :

— Mon général, nous sommes presque certains que Feretti a vu la suite de symboles utilisée par les extraterrestres pour fuir Abydos. S'il s'en souvient encore à son réveil, je crois être en mesure de calculer les coordonnées du lieu où ils se sont rendus. Dans une grotte sur Abydos, le Dr Jackson a découvert des milliers de combinaisons possibles, ce qui signifie qu'il existe des milliers d'autres mondes à explorer !

— Et le Stargate pourrait nous y conduire ?

Visiblement, le général avait du mal à accepter cette notion. Non pas par manque d'imagination, mais parce qu'il pressentait déjà que les problèmes causés par le seul Stargate connu jusqu'à présent allaient se trouver décuplés. Si l'on ajoutait à cette lugubre perspective les pertes humaines qu'ils venaient d'essuyer, il y avait franchement de quoi mettre un général de mauvaise humeur.

— Nous pourrions nous balader dans la galaxie comme on prend le métro, c'est cela ?

— Eh bien, il faut d'abord que je corrige certaines données dans l'ordinateur, que tous les programmes de calculs soient modifiés, puis il faudra...

— Oui ou non, capitaine Carter ?

— Je crois que oui, mon général. Et je requiers la permission de charger les symboles dans le superordinateur de la base afin qu'il les analyse et...

Le regard étincelant, O'Neil s'interposa :

— Mon général, j'imagine que c'est à moi que vous confierez le commandement de la future mission de sauvetage et, dans cette optique, je voudrais...

Hammond le réduisit au silence d'un simple geste de la main :

— D'accord, d'accord ! soupira-t-il. Réunion à 8 heures tapantes en salle de conférences, dès que j'aurai eu le temps de débattre avec mes supérieurs et de les informer de cette nouvelle situation. Capitaine Carter, l'ordinateur de la base est à votre disposition. Colonel O'Neil, nous discuterons de votre requête lors de la réunion. En attendant... (Il désigna Daniel et marmonna :) Qu'on montre les douches à cet homme et qu'on lui procure un uniforme propre. Il empeste !

Sur une volte-face, le général s'éloigna au pas de charge pour se diriger vers le téléphone le plus proche. Carter lui emboîta le pas tout en déballant sa caméra vidéo. Jackson et O'Neil les regardèrent s'éloigner, avant de se tourner vers la salle du Stargate qu'ils venaient de quitter.

— Ne vous inquiétez pas, Daniel. Nous les retrouverons, promit doucement O'Neil.

Dans un ailleurs presque inimaginable, perdu aux confins des étoiles, Skaara et sa sœur Sha'uri, ainsi qu'une foule d'autres captifs, se trouvaient dans une cour de sable cernée de murailles épaisses construites à partir de gros blocs de pierre grise et de colonnes cannelées. L'unique issue, une haute porte voûtée, était condamnée par d'épais barreaux de métal.

Après leur terrifiant voyage à travers la galaxie, Skaara et Sha'uri frissonnaient de froid autant que de peur.

Autour d'eux, les prisonniers ne ressemblaient pas du tout aux gens qu'ils avaient connus sur Abydos. Il y en avait des blonds, des bruns, des roux ; certains avaient la peau noire, d'autres la peau jaune ; certains étaient vêtus de peaux de bêtes, d'autres encore portaient d'étranges habits souples et brillants. Un seul point commun les rassemblait : ils éprouvaient tous la même frayeur et se blottissaient les uns contre les autres en chuchotant.

Skaara se tenait devant sa sœur pour la protéger, bien que personne ne paraisse leur porter le moindre intérêt. L'air était lourd, tellement saturé d'humidité qu'on avait du mal à respirer.

La grille s'ouvrit soudain dans un grincement, et une escouade de gardes-serpents fit son entrée par la porte. Ils brandirent leurs bâtons de mort pour tenir les prisonniers en respect. Puis l'un d'eux fit un pas en avant. Son casque en forme de cobra était replié et les deux jeunes Abydos le reconnurent : c'était celui que le dieu-Râ avait appelé Teal'c.

Teal'c pointa son doigt sur Sha'uri et lui ordonna :

— *Chek mok !*

Comme Skaara se positionnait entre eux, farouche, l'un des gardes le visa de son bâton. En dépit de sa peur, Skaara releva fièrement la tête et campa sur sa position. Sha'uri était sa sœur et la bien-aimée de Daniel. En l'absence de ce dernier, c'était à lui, son frère, de veiller sur elle et de la protéger.

L'homme à la peau sombre s'adressa à lui d'une voix curieusement dénuée d'hostilité :

— Ta mort ne l'aidera pas, tu sais.

Skaara fut surpris de l'entendre s'exprimer dans sa propre langue. Mais le plus étonnant était encore la lueur d'indulgence qu'il lisait dans le regard de l'extra-terrestre. On aurait dit que celui-ci compatissait. En cet instant, il semblait presque humain ! Et pourtant, il était au service de dieu-Râ le Maudit...

Sha'uri posa la main sur le bras de son frère.

— Non, Skaara, dit-elle avec fermeté.

Puis, se tournant vers Teal'c, elle ajouta bravement :

— Je n'ai pas peur.

L'un des gardes-serpents se saisit alors d'elle pour l'entraîner en dehors de l'enceinte, tandis que plusieurs autres captifs étaient ainsi sélectionnés parmi la foule. Des cris de protestation et des sanglots retentirent lorsque des familles se trouvèrent séparées. Rendu fou furieux par son impuissance, Skaara s'élança, mais fut aussitôt intercepté par d'autres prisonniers qui l'empêchèrent de se jeter sur les gardes.

Teal'c observa pensivement le jeune garçon et il hocha la tête, comme s'il reconnaissait que celui-ci avait fait acte de bravoure. Frustré, hors de lui, Skaara regarda sa sœur disparaître par la porte voûtée, tête haute et drapée dans sa dignité, telle une reine.

Tard cette nuit-là, le colonel O'Neil, enfin rafraîchi mais harassé, passa à l'infirmerie pour prendre des nouvelles du blessé. Louis Feretti gisait sur une couchette, le torse bandé, la moitié du crâne masquée sous d'épais pansements. Des tuyaux environnaient son corps criblé de cathéters. Au-dessus de sa couche, des diodes clignotaient sur les appareils qui enregistraient sa respiration et ses pulsations cardiaques. Une attelle en plastique immobilisait son bras.

La pièce sentait l'antiseptique et la maladie.

Assis à son chevet, les épaules voûtées, Kawalsky fixait ses mains croisées.

— On m'a dit qu'il allait s'en tirer, dit O'Neil.

Et il n'y avait aucune raison de douter de la compétence des médecins. Cette base était peut-être ultrasecrète, mais équipée d'un matériel qui aurait fait pâlir d'envie de nombreux hôpitaux militaires.

Sans détourner les yeux de ses doigts entrecroisés, Kawalsky hocha la tête.

— Je sais, mon colonel.

Bien que soulagé par le pronostic des médecins, O'Neil n'en était pas moins durement affecté. Feretti était l'un de *ses* hommes, bon sang ! Il était gravement blessé, quant aux deux autres, ils étaient morts. Et le fait que personne n'ait pu empêcher l'enlèvement de Sha'uri et de Skaara, qu'il considérait comme son fils adoptif, ne faisait qu'empirer sa morosité.

— Vous allez rester ici toute la nuit ?

— Oui, mon colonel.

O'Neil hocha la tête. Cette réaction ne l'étonnait pas étant donné que Kawalsky était le meilleur ami de Feretti.

Après avoir lancé un dernier coup d'œil au patient, le colonel quitta l'infirmerie.

Au bout du couloir, il tomba sur Daniel Jackson qui regardait autour de lui, comme s'il hésitait sur la direction à prendre, voire comme s'il cherchait une bonne raison de se déplacer. Il portait un treillis propre et fraîchement repassé bien trop grand pour lui. O'Neil s'immobilisa à sa hauteur et, patiemment, attendit que l'autre le remarque.

— Ils ne savent pas quoi faire de moi, dit Jackson d'un air ahuri.

Il semblait perdu. Il sourit brièvement, cligna des paupières derrière ses verres de lunettes. O'Neil réprima un sourire. Au moins, il pouvait aider cette brebis égarée.

— Venez, sortons d'ici.

Et, d'un mouvement de tête, il fit signe à Daniel de le suivre.

Debout dans le salon de Jack O'Neil, Jackson observait les diverses décorations et photographies qui ornaient le mur. Parvenu devant le manteau de la cheminée, il éternua plusieurs fois de rang.

— A vos souhaits, dit O'Neil en lui tendant une boîte de mouchoirs en papier.

Ils buvaient de la bière, ou du moins O'Neil, qui en était à sa troisième canette alors que Jackson tétait encore sa première. Visiblement, il n'avait pas l'habitude de boire de l'alcool, si bien que déjà il s'exprimait d'une voix un peu pâteuse.

— Voyager d'une planète à l'autre a sur mes allergies un effet plutôt...

Il s'interrompit, le temps de se moucher bruyamment puis, avec un haussement d'épaules, changea brusquement de sujet de conversation :

— Vous savez, dès que vous êtes repartis sur Terre, et que les indigènes Abydos ont compris qu'ils étaient libérés de l'oppression de Râ, ils ont fêté l'événement.

— Vraiment ? fit O'Neil, dont la vision commençait à se brouiller légèrement.

— Oh oui, une grande, grande fête ! Ils m'ont traité comme leur sauveur, c'était même... un peu embarrassant.

— Je vois. Daniel Jackson, le messie d'Abydos ! Il est vraiment surprenant que vous soyez resté si simple !

O'Neil leva sa bouteille dans un salut ironique, avant de se renfoncer dans le canapé de cuir. Jackson esquissa un sourire gêné, puis il s'installa sur une chaise, face au canapé, et posa sa bouteille de bière sur la table basse.

— Pendant un an, j'ai passé mon temps à empêcher les gens de me faire des courbettes chaque fois qu'ils me croisaient. Ça donnait : « Bonjour... Oh non ! ne faites pas ça ! »

Plongé dans ses souvenirs, Daniel saisit la bouteille et but une gorgée au goulot.

— Heureusement que cela ne vous est pas monté à la tête, commenta O'Neil.

— Sûrement grâce à Sha'uri ! répliqua Daniel en riant. Contrairement aux autres, elle ne me vénérait pas. Elle explosait de rire chaque fois que je m'attelais à une tâche quelconque que les gens de là-bas trouvaient tous très facile à accomplir. Comme par exemple moudre de la farine de yaphetta. Vous avez déjà essayé de moudre votre propre farine ?

— Non, j'essaie d'arrêter la farine.

Daniel avala la dernière gorgée de bière pendant qu'O'Neil débouchait une autre canette.

— Ce truc me monte à la tête, soupira-t-il. Quelle heure est-il ? Je dois souffrir du décalage d'années-lumière...

— Vous n'avez bu qu'une seule bière ! objecta O'Neil en riant. Vous tenez encore moins bien que ma femme !

Jackson sauta sur cette occasion de dériver le cours de la conversation et, d'un large geste, il désigna les photos punaisées au mur, sur lesquelles on ne voyait aucune silhouette féminine. D'ailleurs, la pièce tout entière avait une atmosphère plutôt spartiate et virile. Tout était parfaitement rangé, la décoration déclinée dans des tons fauves, bruns, et caramel, et aucun exemplaire de *Vogue* ne traînait nulle part.

— Quand aurai-je l'honneur de rencontrer votre femme ? s'enquit le scientifique.

— Sans doute jamais ! ricana O'Neil. Quand je suis revenu de ma première mission sur Abydos, elle s'était déjà barrée.

— Oh, désolé ! murmura Daniel, ses yeux écarquillés derrière des lunettes lui donnant un air de chouette.

O'Neil esquissa une grimace avant de reprendre une gorgée de bière au goulot.

— Ouais. Moi aussi, j'ai été désolé. Mais le dire n'y change pas grand-chose. Je crois qu'au fond, elle m'a pardonné pour ce qui est arrivé à notre fils. Simplement elle n'était pas capable d'oublier.

— Et vous ?

— Moi ? C'est le contraire. Je ne me pardonnerai *jamais*. Mais parfois, il m'arrive d'oublier.

Il but une longue rasade. Daniel reprit sa bouteille pour la faire rouler entre ses paumes. Il regardait O'Neil, s'efforçait de trouver quelque chose à dire qui n'aurait été ni une platitude ni une niaiserie. O'Neil disait-il la vérité quand il prétendait être capable d'oublier ? C'était peu probable. Cela se devinait à la lueur féroce qui habitait son regard, sans doute parce qu'il pensait que Skaara avait lui aussi disparu. En fait, il y avait beaucoup de choses, apparemment, que Jack O'Neil ne parvenait pas à se pardonner.

Le sergent Carol Ketering vit l'une des nouvelles saisir subrepticement une petite miche de pain sur un plateau d'argent et la faire disparaître sous sa robe diaphane.

Encore une qui avait l'intention de s'échapper. Ketering aurait pu lui dire d'emblée qu'il n'existait aucun moyen de fuir ce... harem. Elle-même avait vérifié toutes les issues, gardées par des êtres à l'apparence humaine ou, pire, par des gardes-serpents. Dans ces murs de pierre, il n'y avait nulle fenêtre, juste un luxe ostentatoire : de longues robes transparentes, de la vaisselle d'or et d'argent, de l'encens, du vin, de jeunes esclaves vêtus de pagnes tressés qui venaient masser les prisonnières, dans une atmosphère parfumée à la violette...

Tout ce qu'une femme pouvait désirer, en fait.

Sauf la liberté. Et Carol Ketering chérissait sa liberté.

Ils lui avaient confisqué son uniforme, le pantalon kaki, la chemise, la veste. Ils l'avaient plongée dans un bain parfumé, lui avaient désigné une pile de soieries blanches translucides. Des hommes et des femmes, manifestement des esclaves, l'avaient savonnée, puis lui avaient lavé les cheveux. Au bout d'un moment, elle s'était laissé faire. De toute façon, à quoi bon se débattre jusqu'à l'épuisement à cause d'un simple bain chaud ?

Tout à coup, elle vit les gardes humains adopter une position déférente. Cela signifiait qu'*il* revenait. Il, c'était Teal'c, le commandant. Il n'avait pas fallu longtemps à Carol pour comprendre la hiérarchie qui régnait ici.

Et chaque fois que Teal'c venait, une femme repartait avec lui.

Elle recula furtivement, espérant ne pas se faire remarquer. Plusieurs autres l'imitèrent. Mais la nouvelle, qui n'était pas encore au courant du protocole, se contenta de regarder autour d'elle d'un air craintif. L'espace d'un instant, ses yeux sombres et brillants croisèrent ceux de Carol et, en dépit de toutes les différences qui opposaient leurs mondes respectifs, un courant de complicité passa entre les deux femmes. D'instinct, la nouvelle se retrancha elle aussi parmi ses comparses.

Malheureusement, quand tout le monde reculait pour passer inaperçu, il y avait toujours quelqu'un qui finissait par se retrouver devant.

Carol sentit son cœur manquer un battement. Le bâton que Teal'c pointait sur la foule venait de s'arrêter sur elle.

Il parut hésiter, et la hampe pivota vers une autre détenue. *Prenez-la !* pria Carol sans vergogne. *Prenez-la, elle, pas moi.*

Mais le bâton revenait dans sa direction. Déjà, les esclaves s'avançaient. Carol se leva, arborant un air de profond mépris. Nom d'un chien, elle était sergent dans l'US Air Force, et personne ne la ferait sortir d'ici sans énoncer son nom, son grade et son matricule !

Mais dès qu'ils se saisirent d'elle, sa façade s'écroula.

— Où m'emmenez-vous ? Je suis sergent dans l'armée américaine et j'exige de savoir où vous me conduisez !

Ignorant ses protestations, Teal'c la saisit par le poignet et l'entraîna à sa suite dans les couloirs sombres. L'escorte les suivait de près. Même si elle avait réussi à se libérer, elle n'aurait pu s'échapper.

Enfin ils pénétrèrent dans une immense salle illuminée par les flammes d'un brasero. Les hauts murs étaient tendus d'un tissu qui ressemblait à de la gaze. La chaleur ambiante la fit aussitôt transpirer, ainsi que la vue de celui que les autres femmes appelaient le Seigneur Apophis, lorsqu'elles chuchotaient entre elles et s'imaginaient mille histoires épouvantables chaque fois que l'une d'elles, après avoir été choisie, partait pour ne plus jamais revenir.

Aujourd'hui, c'était le tour de Carol.

L'homme portait une calotte, un kilt et des sandales dorés. Son col était incrusté de jaspe et de turquoise. Des bracelets d'or s'enroulaient autour de ses poignets jusque sur ses doigts. Tout son corps brillait, comme enduit d'huile.

Apophis l'étudia tandis qu'elle criait et se démenait, luttant de toutes ses forces, rendue folle de terreur par la certitude que la mort était proche.

— Lâchez-moi ! Lâchez-moi !

Soudain il tendit la main et lui frôla le front. La pierre au creux de sa paume se mit à briller et Carol cessa de se débattre. Sa peur existait toujours, mais lointaine, très lointaine, dans un coin reculé de son cerveau.

— Ravissante, commenta-t-il d'une voix profonde et gutturale. Tu pourrais être le vaisseau de ma future reine.

Une reine ? s'interrogea-t-elle dans un état second. Au tréfonds d'elle-même, une partie de son esprit demeurée lucide se mit à hurler. Il la contourna, la détaillant sur toutes les coutures, puis claqua des doigts. Deux esclaves apparurent, l'un d'eux tenant à la main un couteau dont la lame acérée reflétait la lumière dansante des flammes.

Carol vit la lame étinceler, pourtant elle ne bougea pas.

Les esclaves découpèrent ses vêtements jusqu'à ce qu'elle soit entièrement nue. Souriant, Apophis la caressa et toucha toutes les parties de son corps. Il se pencha pour humer sa peau, tourna autour d'elle comme s'il examinait une tranche de viande particulièrement appétissante.

— Oui, superbe, approuva-t-il encore. Mais ce n'est pas à moi que tu dois plaire.

Elle comprit, sans savoir comment, qu'il voulait qu'elle s'étende sur l'autel, devant le brasero. Sereine, elle s'allongea et vit, debout devant elle, Teal'c et Apophis. Le premier demeurait impassible, comme s'il assistait pour la énième fois à ce spectacle.

Une femme magnifique sortit alors de derrière une tenture. Sa robe brodée flottait autour d'elle, un voile transparent retombait sur son visage pur. Elle avait la peau très claire, et des yeux noirs brillants qui reflétaient autant de bonté que de sagesse.

— *Yametha. Re!* dit le seigneur Apophis.

La femme s'arrêta devant l'autel et écarta les pans de son vêtement pour révéler son ventre, barré d'une fente qui frémissait, remuait doucement. Tout à coup, une sorte de ver blanchâtre sortit en frétillant du ventre de la femme, qui ne sembla pas en éprouver de la douleur, mais plutôt une sorte d'extase. Intérieurement, Carol hurla d'épouvante, alors qu'en réalité elle se contentait d'observer en respirant de façon très régulière. La « larve » laissa une traînée visqueuse sur sa peau, tandis qu'elle se tortillait sur son corps, l'explorait, le humait. Puis elle se redressa dans un couinement et remonta à hauteur du visage de Carol.

Apophis dévorait la scène du regard.

Si la chose avait eu des yeux, Carol aurait juré qu'elle la dévisageait. Puis, de nouveau, elle émit un son criard, avec cette fois une nette intonation de mécontentement. Brutalement, elle se rétracta dans le corps de la femme qui poussa une exclamation de plaisir, avant de refermer lentement sa robe.

— Dommage, murmura le seigneur, tandis que la femme retournait dans l'ombre.

Comme il tendait la main vers le front de Carol, la pierre se mit à irradier. Tandis que la parcelle mentale indépendante qui demeurait le sergent Carol Ketering luttait et se rebellait, elle vit les yeux de l'homme se mettre à briller et, d'une voix qui lui parut infiniment lointaine, elle l'entendit prononcer ces mots :

— Allez en chercher une autre.

Puis Carol accueillit la mort avec reconnaissance.

7

— Garde-à-vous ! aboya Samuels d'une voix ronflante qu'aucun sergent-instructeur n'aurait reniée.

Aussitôt, toute la tablée de la salle de conférences se leva à l'entrée du général Hammond.

Celui-ci s'approcha et demeura debout, les mains posées sur l'acajou ciré de la table. A présent, toutes les housses avaient disparu et le matériel fonctionnait parfaitement.

— Je tiens d'abord à vous préciser que tout ce qui se dit dans cette pièce est classé top secret, annonça-t-il, avant de poursuivre : Colonel O'Neil, pouvez-vous me préciser ce que nous avons appris de plus au sujet de l'ennemi ?

— En fait, pas grand-chose, mon général. D'après les jeunes gardes Abydos qui ont survécu à l'attaque du camp, le chef avait l'apparence de Râ.

— Je le pensais mort, celui-là. Alors qui faut-il croire ?

— Oh, il est bien mort ! Sans le moindre doute, intervint Jackson en essuyant ses lunettes. Avec cette bombe... Enfin, on ne peut pas être en vie après une telle explosion, n'est-ce pas, colonel ?

O'Neil ferma les yeux, sans doute pour s'empêcher de les lever au ciel. Hammond éructa :

— Dans ce cas, qui se sert du Stargate ?

Jackson inclina la tête, pensif, puis, de l'air satisfait de celui qui s'est bien servi de ses méninges, répondit :

— Des dieux.

— Quoi ? rugit Hammond qui, visiblement, n'avait pas l'intention de se satisfaire de cette réponse.

— Je ne veux pas dire de *vrais* dieux, s'empressa d'expliquer Jackson d'un ton docte. Râ a joué le rôle du dieu Soleil. Il a juste emprunté la religion et la culture des anciens Egyptiens qu'il avait enlevés et amenés sur Abydos au moyen du Stargate dans le but de les asservir. S'il a procédé ainsi, c'est parce qu'il voulait que ces gens le craignent et lui obéissent.

Carter, qui elle-même avait tendance à pontifier, enchaîna :

— Ce que vous voulez dire, c'est que Râ n'était finalement pas le dernier de sa race.

— Ouais, il avait peut-être un frangin qui s'appelle Ray ! ironisa Kawalsky d'un ton acide.

Daniel, perdu dans ses pensées, échafaudait déjà une théorie :

— Attendez... D'après la légende, la race de Râ était en train de s'éteindre, et lui a survécu en parasitant le corps d'un Egyptien. Dans ce cas, qui dit que certains de ses congénères n'ont pas agi de même ? Ils auraient pu le faire n'importe quand et... n'importe où, là où il y avait une Porte ! conclut-il en pâlissant soudain. C'est peut-être ce qui se passe en ce moment même !

Hammond se tourna vers O'Neil :

— Colonel, c'est vous qui avez la plus grande expérience de l'ennemi, vous connaissez la meilleure façon de le combattre. Vous sentez-vous prêt à l'affronter en cas de conflit ?

— Nous l'avons déjà battu une fois, mon général.

— Bon, je prends cette réponse pour un « peut-être », grogna Hammond. Capitaine Carter, pensez-vous pouvoir faire fonctionner le Stargate dans un avenir proche ?

— J'ai entré les nouvelles données dans l'ordinateur qui doit calculer les trajectoires. Cela va prendre un certain temps, mais je compte obtenir deux ou trois destinations par mois.

Hammond hocha la tête avant de respirer profondément.

— Ne nous berçons pas d'illusions, dit-il. Cette affaire est périlleuse, sans compter qu'elle nous dépasse complètement. L'ennemi que nous devons affronter possède une technologie tellement supérieure à la nôtre que nous ne pouvons même pas la concevoir. Et pour tout dire, nous nous porterions bien mieux si le Stargate n'avait pas été déterré...

— Avec tout le respect que je vous dois, mon général, nous ne pouvons réagir en nous enfouissant la tête dans le sable ! protesta Carter. Songez à tout ce que nous pourrions apprendre ! A tout ce que nous pourrions rapporter de...

— Ce que je redoute, c'est justement ce que vous êtes susceptible de rapporter, capitaine ! mugit Hammond, qui commençait à en avoir assez de cette bêcheuse qui ne perdait pas une occasion de la ramener.

Il se calma un peu pour ajouter :

— Toutefois, il se trouve que le Président des Etats-

Unis est d'accord avec vous. Au cas où vos théories se révéleraient fondées, il a ordonné la création de neuf équipes qui auront pour mission d'effectuer des patrouilles de reconnaissance, d'évaluer la menace réelle et, si possible, d'entrer en contact de manière pacifique avec les habitants d'autres mondes. Bien entendu, ces missions seront classées top secret. Colonel O'Neil ?

— Oui, mon général ?

— Votre équipe prendra comme nom de code SG-1. Elle se composera de vous-même, du capitaine Carter...

— Et de moi ! intervint Jackson qui se tordait nerveusement les mains sur la table.

Hammond secoua la tête :

— Docteur Jackson, nous avons besoin de vous en tant que consultant auprès des autres équipes. Votre science des cultures et des langues anciennes est trop précieuse pour que...

— Non ! s'entêta Jackson, en adoucissant son refus d'un sourire suppliant. Enfin... je sais bien que c'est vous qui décidez, mais... il faut vraiment que je sois avec cette équipe. Général, ma *femme* est là-bas ! Je dois la retrouver.

Hammond lui retourna un regard troublé. Il comprenait les raisons de Jackson, voire même il compatissait. Mais cela ne changeait rien à la raison militaire.

— Je prendrai le fait en considération, déclara-t-il enfin pour ne pas refuser carrément. Major Kawalsky, vous dirigerez le SG-2.

— Oh, je... vraiment ? fit Kawalsky, pris au dépourvu.

— D'après le colonel O'Neil, il est temps que l'on vous confie l'encadrement d'une équipe.

Kawalsky fit pivoter sa chaise en direction du colonel qui haussa les épaules en souriant et prétendit :

— Un moment de faiblesse !

Sur ces entrefaites, un assistant entra dans la salle et murmura quelques mots à l'oreille du major Samuels. Soulagé, celui-ci annonça :

— Mon général, Feretti a repris connaissance.

Faisant fi du protocole, O'Neil s'élança vers la porte. Il courait déjà dans le couloir lorsque Hammond claironna :

— Vous pouvez disposer !

En pénétrant dans l'infirmerie, Carter semblait prête à expulser les infirmiers *manu militari* s'il le fallait.

— Je prends le relais, dit-elle en se plaçant à la tête du lit du blessé.

Feretti était de bonne humeur, sans doute parce qu'il était drogué jusqu'au trognon et incapable de compter le nombre de tuyaux qui hérissaient son corps. Gêné par le masque à oxygène, il grimaça un sourire à l'intention de O'Neil et de Kawalsky et, de son œil valide, il essaya même de faire un clin d'œil à Carter.

Un technicien entra pour installer une table roulante près du lit. Puis, prenant soin de ne pas toucher le patient, il déposa sur le plateau un ordinateur portable, et inclina l'écran de façon que Feretti puisse le voir.

Carter pianota sur le clavier pour lancer son programme.

— Ecoutez, Feretti, j'imagine que vous ne vous sentez pas au mieux de votre forme, mais nous avons besoin de votre coopération, dit O'Neil.

Feretti acquiesça d'un grognement. Au bout d'une

minute, les symboles de la Porte Abydos se mirent à défiler lentement sur l'écran de l'ordinateur. Feretti pointa un doigt tremblant vers l'un d'eux, puis vers un second...

— On dirait bien qu'il a quelques longueurs d'avance sur vous, mon colonel, fit remarquer Carter.

Sans relever le commentaire, O'Neil concentra toute son attention sur Feretti qui, au bout d'un moment, finit par isoler sept symboles.

— Vous êtes sûr que ce sont ceux-là ? Vous n'avez pas commis d'erreur ?

Comme Feretti secouait la tête, O'Neil ajouta en souriant :

— Vous avez un sacré coup d'œil, major !

L'effort de concentration avait visiblement épuisé le blessé. Mais ils avaient à présent leurs sept symboles, dans le bon ordre, qui, avec l'aide de Dieu, les conduiraient bientôt jusqu'à Sha'uri et à Skaara.

Les membres de l'équipe SG-1, vêtus de treillis de combat, attendaient l'ouverture de la Porte. En plus de l'équipement habituel, ils emportaient un véhicule motorisé bourré d'armes, de munitions, ainsi que de diverses fournitures terrestres. Sur le flanc du véhicule était inscrit le sigle énigmatique : FRED.

Kawalsky s'était assuré en personne qu'il y avait des boîtes de munitions supplémentaires.

En retrait, les techniciens procédaient à des réglages et finitions mystérieux. Une voix annonça :

— Chevron numéro cinq verrouillé.

Samuels, empli de sa propre importance, leur donna les instructions de dernière minute :

— Colonel O'Neil, je dois vous rappeler que sauver la femme du Dr Jackson n'est pas un objectif prioritaire. Au cas où vous ne seriez pas de retour au camp d'ici vingt-quatre heures, SG-2 annulera la mission et rentrera sans vous.

— Compris, dit O'Neil sans trahir la moindre émotion.

— Ça n'arrivera pas, mon colonel! ricana Kawalsky. SG-2 ne partira jamais sans vous!

Samuels lui retourna un regard indigné. Dans son dos, une voix jaillit de l'enceinte :

— Chevron numéro six verrouillé.

Dédaignant Kawalsky, Samuels brandit un appareil de contrôle qui se mettait autour du poignet.

— Très bien. A présent, vérifions les codes de transmission.

Carter et Kawalsky remontèrent chacun leur manche pour montrer à Samuels des appareils similaires fixés à leur poignet. La pièce se mit à vibrer et Samuels fut obligé de hausser la voix afin de couvrir le grondement qui s'élevait :

— N'oubliez pas que seul le bon code ouvrira l'iris. Si vous perdez cet émetteur, vous ne pourrez pas rentrer.

O'Neil, le regard fixé sur le Stargate, ne faisait même plus semblant d'écouter. Carter répondit à sa place :

— Compris, major.

— Chevron numéro sept verrouillé.

— Ecartez-vous!

Les membres de l'équipe tressaillirent, impatients de gravir la rampe et de se fondre dans le tunnel de lumière. La voix caverneuse de Hammond, sortant de l'enceinte, réitéra l'avertissement :

— SG-1 et SG-2, si vous n'êtes pas de retour dans vingt-quatre heures, vos codes de transmission seront invalidés et l'iris demeurera définitivement clos. Plus aucun retour ne sera possible. Est-ce bien clair?

— Oui, mon général! rétorqua O'Neil d'un ton sec, avant de lancer à ses hommes : Allons-y!

A la queue leu leu, ils grimpèrent sur la rampe. Au moment où O'Neil et Kawalsky passaient devant Samuels, ils l'entendirent chuchoter :

— Bon voyage. J'aimerais pouvoir partir avec vous!

Le colonel et le major échangèrent un regard entendu. O'Neil parvint à garder sa langue, mais Kawalsky ne résista pas à la tentation.

— Ah ouais? répliqua-t-il, goguenard. Eh bien, moi, je suis très content que tu restes ici!

8

O'Neil roula sur le sol et sentit la brûlure des graviers à travers son blouson. Le froid le transperçait jusqu'aux os, il avait du givre jusque sur les cils.

Marmonnant un juron, il s'essuya le visage et jeta un regard autour de lui pour juger de leur position et recenser les membres de son équipe. Tout le monde semblait en forme, mais FRED, le véhicule de combat, avait atterri sur un rocher.

Kawalsky fut catapulté hors de la Porte. Il se releva et grogna :

— Bon Dieu, ce qu'il fait froid !

O'Neil ne le contredit pas, même s'il avait bien autre chose en tête.

— O.K., sortez le matériel. On y va ! On y va !

Ils se trouvaient dans une grande clairière, au sommet d'une colline. Un autel de pierre était installé devant la Porte cernée de petits menhirs. On aurait dit un mini Stonehenge, mais c'était un autre monde, une autre planète. Les arbres étaient différents.

O'Neil résista fermement à la tentation d'observer plus longtemps son environnement. Ils étaient en territoire ennemi, qu'importe que ce fût sur une autre planète. Leurs buts stratégiques étaient clairement définis, et une tactique restait une tactique.

Pour le moment, ils avaient l'avantage de la surprise. Les soldats déployés dans un périmètre défensif étaient en alerte, prêts au combat. Mais il fallait s'organiser.

Daniel éternua.

— Quelqu'un a un Kleenex? demanda-t-il, comme s'ils s'étaient trouvés dans la salle de conférences.

O'Neil leva les yeux au ciel. Ah, ces scientifiques!

Sha'uri était assise contre un mur, près d'une colonne, et tripotait avec réticence le tissu étrange dans lequel était confectionnée sa robe. Allongée sur une table de marbre non loin, une femme se faisait masser. Les autres grignotaient des douceurs servies sur des plateaux d'argent tout en papotant. Parfois Sha'uri saisissait un mot ou deux, ou carrément une phrase tout entière. Elle-même n'avait pas faim et, de toute façon, elle n'aurait pu se résoudre à avaler cette nourriture consommée par les dieux-Râ et les gardes-serpents.

La conversation tournait autour de la blonde que les gardes étaient venus chercher un peu plus tôt. La plupart des femmes qui prenaient part à la discussion exprimaient leur peur, certaines leur envie. Toutes se demandaient quel sort lui avait été réservé.

Au retour des gardes-serpents, certaines audacieuses se mirent en avant. Elles prirent des poses aguicheuses et décochèrent des œillades langoureuses aux gardes. Ceux-ci les ignorèrent et scrutèrent la foule.

Sha'uri leur tourna le dos, niant jusqu'à leur existence. Depuis qu'elle avait été séparée de son frère et enfermée dans cette maison, elle se sentait désespérément seule.

— Toi ! dit l'un des gardes en pointant son doigt sur elle.

Sha'uri sentit son regard s'appesantir sur elle. Elle perçut le mouvement des autres femmes qui s'écartaient sur le passage des gardes. *Non, pas moi !* pensa-t-elle, éperdue. *Pas moi ! Daniel, Skaara, où êtes-vous ?*

Du coin de l'œil, elle les vit s'approcher, et il lui fut impossible de les ignorer plus longtemps. Horrifiée, elle s'élança, jouant des coudes parmi les volontaires aux espoirs déçus, mais les esclaves la rattrapèrent et finirent par la maîtriser.

Sha'uri se mit à crier. En vain.

Cette fois, ils disposaient d'un matériel très sophistiqué qui leur avait fait cruellement défaut lors de la première mission : des mines, des missiles air-air, des lunettes infrarouges, bref, tout ce à quoi O'Neil et Kawalsky avaient pu penser. On était décidément plus à l'aise quand on était sûr de ne pas avoir laissé échapper le moindre petit détail.

Assis en tailleur sur une caisse, Jackson regardait les militaires faire tout le travail. Bras croisés sur la poitrine, il tentait de se réchauffer. Il aurait tout aussi bien pu le faire en s'activant, mais non bien sûr ! Combien de calories brûlait-on en se contentant de réfléchir ?

— Ce doit être un endroit voué aux rituels de célébration. La Porte doit... devait faire partie intégrante de leur culture spirituelle. Vous voyez cette pierre, c'est une sorte d'autel. Ce lieu est destiné aux fidèles qui...

— Eh bien, on ferait bien de dégager vite fait avant qu'ils ne se pointent ! coupa O'Neil.

Jackson parut désorienté. Le colonel changea de tactique :

— Vous avez compris comment aligner cette Porte pour rentrer sur Terre ?

— Oui, bien sûr ! affirma Jackson en descendant de sa caisse pour se diriger vers l'autel couvert de symboles. Cet appareil est le même que celui qui existe sur Abydos. Ce symbole représente...

— Vous avez informé l'équipe de Kawalsky ?

— Oui. Ce symbole...

— Bon, ça me suffit.

Jackson n'arrivait pas à se mettre dans la tête qu'O'Neil se fichait éperdument du sens ésotérique des symboles. Ce n'était ni l'heure ni le lieu pour un cours d'archéologie !

Kawalsky s'avança au bord du plateau et désigna la zone arborée située un peu en contrebas.

— Nous allons dresser le camp là-bas, sous le couvert des arbres.

— Où est Carter ? s'inquiéta O'Neil avec une pointe d'irritation.

Au moment où il posait la question, le capitaine Carter émergea des arbres et héla Kawalsky :

— J'ai posé une ligne de mines tout autour de la Porte, à dix mètres d'intervalle. Elles sont toutes connectées au même détonateur. Si nous sommes attaqués au moment du retour, nous aurons de quoi riposter.

O'Neil ne put réprimer une mimique approbatrice. Finalement, Carter n'était peut-être pas un cas si désespéré. Et il était somme toute pratique, dans certaines circonstances, d'avoir un scientifique sous la main...

Les deux équipes, SG-1 et SG-2, se rendirent sur le lieu choisi pour établir le camp. Les deux commandants restèrent un moment en observation, puis satisfait de la tournure que prenaient les choses, O'Neil déclara :

— Bon, si SG-1 n'est pas de retour dans vingt heures...

— Nous viendrons vous donner un coup de main ! acheva Kawalsky avec légèreté.

— Vous repartirez par la Porte avec la combinaison que Daniel vient de vous donner, avant que l'iris ne soit bloqué, contra O'Neil d'un ton sans réplique.

Un instant, Kawalsky parut sur le point de protester, mais finalement il acquiesça :

— Oui, mon colonel.

— Si nous ne revenons pas à l'heure dite, cela signifiera que nous nous sommes fait avoir, et que vous devez mettre les voiles. O.K. ?

O'Neil n'entendait pas rester dans le vague, ce qui permettrait à Kawalsky d'interpréter ses ordres à sa façon. Il se réservait ce privilège, sans compter qu'il n'était pas question que Kawalsky finisse dans le même état que Feretti.

Cet entretien glacé fut interrompu par Warren, un soldat qui faisait partie de l'équipe d'O'Neil.

— Mon colonel, j'ai trouvé une sorte de piste qui descend dans la vallée. On dirait qu'il y a eu du passage ces jours derniers, annonça-t-il.

— Merci, fit O'Neil, avant d'ajouter à l'intention de Kawalsky : Je vous laisse le fort, gardez-le bien.

— Rapportez-moi un souvenir pour mettre sur ma cheminée !

O'Neil esquissa un bref sourire, en dépit de son étonnement. Depuis quand Kawalsky adoptait-il une attitude aussi peu militaire ?

Les deux hommes se saluèrent. Puis le SG-1 se mit en route et prit la direction que le soldat Warren venait d'indiquer.

Sha'uri se débattait furieusement, mais ils s'étaient mis à quatre pour la maintenir, deux gardes-serpents et deux esclaves, et elle comprit vite qu'il était inutile de lutter.

Pourtant, lorsque Apophis apparut entre deux lourdes tentures, elle se démena de plus belle. Le dieu-Râ l'observait, amusé, une lueur maléfique dans ses yeux cerclés de khôl.

— Celle-ci a du caractère, fit-il remarquer avant de claquer des doigts à l'intention des esclaves.

Comme l'un d'eux tentait de dénouer l'épaulette de sa robe, Sha'uri le mordit jusqu'au sang. L'esclave poussa un cri de douleur, tandis qu'Apophis éclatait de rire. Puis ce dernier tendit la main, et la pierre incrustée au creux de sa paume se mit à irradier une étrange lumière.

Soudain, ce fut comme si plus rien n'avait d'importance. Sha'uri se sentit indifférente, détachée de tout, comme si elle assistait à cette scène en tant que spectatrice et non comme actrice. Elle était désormais nue devant l'homme aux vêtements dorés. Une partie d'elle-même avait peur, mais il s'agissait d'une parcelle si infime...

— Est-ce qu'elle te plaît, mon amour ?

Sha'uri entendit les mots, comprit leur signification, sans vraiment s'y intéresser. Elle vit une femme très belle et très grande sortir de l'ombre et s'approcher ; elle vit la créature reptilienne sortir de son ventre. Le vermisseau pleurnichait d'un ton plaintif, il se tortillait, s'étirait en direction de Sha'uri.

Sur un signe d'Apophis, les gardes et les esclaves étendirent la prisonnière sur l'autel. La larve-serpent se libéra alors entièrement de son cocon humain pour ramper sur le ventre de Sha'uri. Elle sentit sa masse froide et visqueuse sur sa peau, le picotement de ses dents entre ses seins, mais ne frissonna même pas. Les esclaves la firent rouler sur le ventre. Le serpent se coula alors dans son dos, à la base de sa colonne vertébrale, puis remonta lentement comme s'il examinait chaque vertèbre.

Du coin de l'œil, Sha'uri nota l'expression de jubilation intense reflétée par le visage d'Apophis. L'autre femme soupira d'un air de regret, avant de refermer sa robe et de disparaître derrière les tentures.

Sha'uri sentit que le serpent se dressait dans son dos... et soudain elle hurla, tandis qu'il plongeait dans son cou, pénétrait son âme, réunissant d'un coup les deux Sha'uri qui cohabitaient dans son esprit en prenant possession de son corps.

9

O'Neil avait pris la tête de la SG-1 sur le sentier abrupt qui longeait la forêt. Daniel Jackson avait toujours froid et était secoué de temps à autre par un frisson.

— Est-ce que vous savez où nous allons, au moins ? demanda-t-il.

— On descend, répondit O'Neil, laconique.

— Ne pensez plus au froid, lui conseilla Carter, avant de demander au bout de quelques secondes : Parlez-moi de Sha'uri.

Daniel glissa dans la boue, rétablit son équilibre de justesse, et répondit :

— Eh bien... elle est... vraiment...

— Elle lui a été offerte en cadeau ! intervint O'Neil avec malice.

— Quoi ? fit Carter en manquant s'étrangler.

— C'est vrai, admit Jackson. Ce sont les anciens d'Abydos qui me l'ont offerte le lendemain de notre arrivée.

— Et vous avez accepté ?

Daniel haussa les épaules, l'air de dire : *Bien sûr, que pouvais-je faire d'autre ?*

Déjà, Carter ouvrait la bouche, indignée. O'Neil, tout content d'avoir lancé sa bombe, s'apprêtait à savourer le carnage, lorsqu'il cria soudain :

— Stop !

— Hein ? Quoi ? demanda Daniel.

Apparemment, il ne s'inquiétait pas plus que s'il était en train de faire une simple promenade dans un parc. D'un geste vif, Carter le saisit par le col pour l'attirer derrière un tronc couché. O'Neil remarqua la rapidité d'intervention du capitaine-docteur et, mentalement, lui accorda encore un bon point.

Ils achevaient de se tapir dans les fourrés lorsqu'une file indienne de... moines, semblait-il, apparut au bout du sentier, puis passa devant eux une minute plus tard. Vêtus de lourdes robes à capuche, ils étaient au nombre de huit.

O'Neil releva le cran de sûreté de son arme.

Le moine de tête s'immobilisa à l'endroit précis où Jackson avait glissé un peu plus tôt et, pointant son index vers le sol, il échangea quelques phrases avec ses compagnons.

— Vous voyez des armes ? chuchota O'Neil.

— Non, mon colonel, répondit Carter.

— Ce sont des fidèles, affirma tout à coup Jackson en relevant la tête.

— Capitaine, vous allez prendre position en amont..., commença O'Neil.

Il ne put achever ses instructions. Jackson était déjà debout et, à la surprise générale des militaires, remontait le sentier en direction des moines, tout en faisant de grands signes avec les bras.

— Bonjour ! Bonjour ! lança-t-il à la cantonade.

— Mon Dieu, ce type ne changera jamais ! murmura O'Neil en fermant les yeux.

Jackson poursuivait :

— Nous... hum, nous venons juste d'arriver par le Stargate, le Chaapa-ai, et...

Les moines ôtèrent leurs capuches. Il n'y avait là que des hommes, assez âgés dans l'ensemble. Ils paraissaient inoffensifs, si l'on faisait abstraction de la marque dorée qu'ils portaient sur le front, identique à celle des gardes-serpents.

De son côté, Jackson ne devait pas avoir l'air bien dangereux. Le moine de tête lui adressa un sourire.

— Stargate ? répéta-t-il. Chaapa-ai ?

— Oui, le Stargate, c'est cela ! confirma Daniel en hochant vigoureusement la tête.

Puis il leva le bras et, de nouveau, dit :

— Bonjour !

Dans un même mouvement, les moines s'agenouillèrent devant lui. Consterné, Jackson laissa retomber sa main.

— Oh non, non ! Je vous en prie, ne faites pas ça ! protesta-t-il en essayant de relever le moine le plus proche, sans succès.

O'Neil se redressa, la main toujours posée sur son arme. A pas lents, il s'approcha de Daniel.

— Comment saviez-vous qu'ils allaient réagir de la sorte ? demanda-t-il.

— Je l'ignorais, rétorqua Daniel sans se départir de son sourire. Mais à mon avis, à moins de vouloir à toute force nous forger une mauvaise réputation, nous devrions éviter de tirer sur les premières personnes que nous croisons sur cette planète.

Il saisit le bras du moine prosterné devant lui et, avec impatience, ajouta :

— S'il vous plaît, vous n'êtes pas obligé de faire ça, vous savez !

— Vous êtes venu choisir ? lui demanda le moine.

— Choisir ?

O'Neil se détourna, abasourdi. Daniel pensait-il vraiment que des soldats qui envahissaient une contrée étrangère se souciaient de leur réputation auprès de la population ?

— Oui, nous pouvons choisir. Choisir, c'est très bien, confirma soudain Jackson, avant de se tourner vers O'Neil pour préciser : ils parlent un mélange d'arabe et de...

— Je ne vous ai pas demandé un cours de linguistique ! Priez-les simplement de nous conduire à la ville la plus proche.

Avec une aisance irritante, Jackson obtempéra. Dans un jargon qui semblait limpide pour lui, il s'adressa aux moines tout en levant les deux mains et en joignant le bout de ses dix doigts pour former une sorte de toit pentu.

Les moines hochèrent la tête et répondirent :

— D'accord. Suivez-nous.

Ils reprirent leur chemin, contournèrent un bosquet d'arbres, et débouchèrent enfin sur un surplomb rocheux. Le moine de tête s'arrêta et, d'un large geste du bras, désigna la vallée qui s'étendait au pied de la montagne et qui, sur toute sa longueur, était emplie par une immense cité.

— Chulak. Oui ?

Les terriens, stupéfaits par la taille de la ville, échangèrent des regards anxieux. Et si celle-ci regorgeait de dieux-Râ ?

— Chulak, ça m'a l'air pas mal du tout, dit enfin Jackson. Oui, Chulak...

— Ouais, il paraît que le climat est très agréable à cette époque de l'année ! marmonna O'Neil, avant de suivre les moines qui commençaient à descendre le sentier.

De temps en temps, O'Neil avait eu l'occasion de faire un saut à Rome, en Italie, alors qu'il était cantonné dans une base allemande, turque, ou encore espagnole. Durant ses heures de loisir, il avait apprécié les promenades dans la Ville éternelle, les échanges philosophiques avec les chats du Colisée, les arches triomphales et les statues de marbre à l'effigie d'empereurs morts depuis des siècles...

Chulak lui rappelait Rome, ou plutôt ce qu'avait dû être Rome mille ans plus tôt. On y trouvait de larges avenues qui se divisaient en venelles étroites et sinueuses. Du linge séchait aux fenêtres, des odeurs entêtantes flottaient dans les recoins éboulés. Des colonnes de marbre ornaient les monuments les mieux préservés.

— Tout le monde a l'air si... humain ! murmura Carter.

Humain certes, mais dépourvu de toute notion de mode. Les habitants de Chulak portaient tous les mêmes longues tuniques de laine. Et ils ne se privaient pas de fixer les terriens sanglés dans leurs treillis vert bouteille.

Evidemment, dans la Rome antique, les gens portaient sans doute tous des toges.

— Ils sont peut-être humains, répondit Jackson. Ou plus exactement, ils l'*étaient* peut-être. N'oublions pas que le peuple Abydos a été séparé de l'humanité il y a cinq mille ans. Durant un tel laps de temps, une société est susceptible d'évoluer.

Et apparemment, cette évolution n'avait encore produit aucun Versace ni Armani.

Si cette ville ressemblait à Rome, le monument dont ils s'approchaient aurait pu se comparer au palais du Vatican. Les moines les escortèrent dans un grand escalier de pierre. Ils franchirent de hautes portes, puis pénétrèrent dans une immense salle à deux niveaux où avait été préparé un banquet royal. Plusieurs dizaines de personnes y étaient réunies autour d'une longue table chargée de victuailles. Dans le prolongement de cette pièce se trouvait une autre salle, déserte pour l'heure, à laquelle on accédait par quelques marches. Le mur du fond était percé d'une haute porte à double battant.

Le moine de tête s'inclina devant les terriens, puis leur fit signe de s'attabler pour prendre part au festin. Aux gens déjà présents, il adressa un petit discours dont le sens échappa complètement aux invités. Mais les convives leur firent de la place, et ne jetèrent qu'un regard détaché à leurs vêtements. En fait, ils semblaient focaliser leur attention sur la porte du fond, à tel point qu'ils en oubliaient presque le contenu de leur assiette.

— Pourquoi nous traitent-ils de la sorte ? s'étonna Carter qui tripotait nerveusement son fusil-mitrailleur.

— Ils nous prennent pour des dieux, répondit distraitement Jackson en regardant autour de lui comme s'il cherchait quelqu'un en particulier.

— C'est incroyable !

O'Neil haussa les épaules :

— O.K., nous sommes des dieux. Et après ? Ça peut arriver à tout le monde, non ?

Comme un groupe de femmes vêtues très légèrement s'approchait, il les lorgna d'un regard appréciatif.

— C'est une sorte de cérémonie, déclara soudain Jackson. Nous étions attendus !

— Bon, si nous sommes des dieux, que sommes-nous censés *choisir* ? demanda O'Neil sans cesser de reluquer les femmes.

— Je n'en ai aucune idée.

Dans un recoin sombre de la salle, quelqu'un frappa un gong. O'Neil cessa aussitôt de faire le malin en voyant deux gardes-serpents entrer dans la pièce du fond. Ils tenaient à bout de bras deux instruments de musique, apparemment fabriqués à partir des défenses d'un animal. Solennels, ils prirent la pose avant de souffler dans leurs instruments.

Aussitôt, les moines tombèrent à genoux et posèrent leur front sur le sol. Tous les autres s'écartèrent de la table pour les imiter. Au bout d'un moment, Jackson fit de même en regardant Carter et O'Neil avec insistance.

— A Rome, vivons comme les Romains ! chuchota-t-il.

Carter obéit sans discuter. A contrecœur, O'Neil s'agenouilla lentement, toutefois il refusa d'incliner la tête.

Au son des trompes, un couple habillé avec une élégance recherchée fit son entrée dans la salle de banquet. L'homme portait un kilt doré et un plastron ; ses yeux étaient noircis au khôl. Quant à la femme qui s'avançait à son bras, elle avait le visage voilé. Sa robe moulante semblait faite de plumes de paon et sa coiffe très sophistiquée était surmontée d'ailes d'oiseau qui s'incurvaient autour de la tête. Sur son front, un diadème en forme d'uræus maintenait en place le voile diaphane.

L'homme souleva le voile de sa compagne, puis lui prit la main pour la montrer à la foule agenouillée.

— Voici votre reine !

La femme redressa la tête dans l'attitude hautaine d'une souveraine face à ses sujets. Elle était distante, froide, absolument magnifique.

— Sha'uri ! murmura Daniel, estomaqué.

O'Neil n'eut absolument pas le temps de s'interposer : l'égyptologue se dressa d'un bond et sauta par-dessus la table de banquet avant de se mettre à courir entre les Chulakiens prosternés.

— Sha'uri, Dieu merci ! Nous pensions ne plus jamais te...

Il s'arrêta brusquement, conscient tout à coup que le regard de Sha'uri luisait d'une étrange façon. Elle ne semblait pas le reconnaître. Il n'y avait plus rien d'humain dans ces yeux-là.

— Agenouille-toi devant ta reine ! ordonna l'homme vêtu d'or.

Daniel fit encore un pas en avant, comme pour tenter de faire fondre l'indifférence de la jeune femme.

— Sha'uri, c'est moi ! Sha'uri !

L'homme leva la main. Son bracelet se mit à briller. Daniel eut l'impression de recevoir un coup de massue. Sous la violence du choc, il fut propulsé jusqu'au milieu de la pièce.

O'Neil se mit solidement sur ses deux pieds et brandit

son fusil-mitrailleur. Mais au moment où il visait Apophis, Sha'uri se plaça entre l'arme et son compagnon. Le colonel hésita une fraction de seconde... qui fut fatale. L'un des gardes-serpents en profita pour abaisser son bâton et... tout s'obscurcit autour de lui.

10

Quand Jackson reprit conscience, il souffrait d'un mal de tête épouvantable. La silhouette qui se penchait sur lui se révéla finalement être celle de Carter.

Il tenta de s'asseoir, bredouilla :

— Sha'uri...

Carter lui posa la main sur la poitrine pour l'empêcher de se redresser.

— Du calme. Cela fait des heures que vous êtes sans connaissance, dit-elle.

— Je l'ai vue...

— Je sais, je sais. Nous l'avons tous vue.

— Mais j'ai vu Sha'uri ! Elle était... (Il soupira profondément, puis demanda :) Où sommes-nous ?

— Dans une sorte de prison.

C'était un euphémisme pour décrire l'immense salle dans laquelle se pressaient des centaines de gens de toutes races et cultures.

— Tout s'est passé très vite. Apophis vous a fait valdinguer à travers la pièce, puis un garde a foudroyé le colonel. Ensuite, quand j'ai repris conscience, nous nous trouvions ici.

Jackson s'assit, porta la main à son front douloureux. Cette fois, Carter ne tenta pas de l'en dissuader. Il regarda autour de lui, yeux écarquillés, en comprenant tout à coup pourquoi il y avait tant de prisonniers autour d'eux.

— Apophis ? répéta-t-il. Apophis... C'est bien ainsi qu'ils le nomment ?

— Oui. Ce nom vous dit quelque chose ?

— Oh oui ! Il appartient à la mythologie égyptienne. Râ était le dieu Soleil qui régnait sur le jour. Apophis était son rival, le dieu Serpent, qui régnait sur la nuit. Tout cela est dans *Le Livre des morts*. Mon Dieu, qu'ont-ils fait à Sha'uri ? Il faut que je la retrouve !

— C'est impossible, dit sèchement Carter.

— Si j'arrive à lui parler, je suis certain de pouvoir...

— Daniel, vous avez vu son regard.

— Peut-être... peut-être l'ont-ils forcée à prendre une drogue ou bien...

Carter l'interrompit avec fermeté :

— Ces créatures sont des parasites. Ils se servent des humains comme d'un hôte. C'est bien ce que Râ faisait, non ?

— Je ne vous crois pas ! Oh, je suis désolé, je... je ne puis admettre que Sha'uri...

Une haute silhouette fendit la foule dans leur direction. C'était O'Neil, qui annonça à Carter :

— S'il existe un moyen de sortir d'ici, je ne l'ai pas encore découvert. En revanche, regardez un peu qui j'ai trouvé...

Il désigna le garçon qui se tenait derrière lui et le suivait comme son ombre.

— Skaara ?

— Daniel ! Est-ce que ça va ? s'inquiéta le garçon en

s'agenouillant pour étreindre fougueusement le scientifique.

— Heu... oui, je crois.

— Oh ! Bienvenue chez les vivants ! fit tout à coup O'Neil en notant que Jackson était sorti de son coma.

Skaara se rembrunit :

— Daniel, le colonel Jack m'a dit pour Sha'uri...

Jackson regarda le garçon dans les yeux, ces yeux si semblables à ceux de sa sœur, avant qu'elle ne... Non, c'était insupportable, il ne pouvait tolérer cette pensée !

— Jack, aidez-moi ! supplia-t-il en se tournant vers le colonel. Nous devons la retrouver !

— Je suis désolé, Daniel.

Ce ton apitoyé, c'était le coup de grâce ! Daniel retomba à terre, anéanti. Après quelques secondes, le colonel ajouta :

— Vous devriez vous reposer. Il est déjà étonnant que vous soyez encore en vie après le choc que vous avez reçu.

Yeux clos, Jackson se détourna. Il entendit O'Neil qui, dans son dos, disait à Carter :

— Vous avez toujours l'émetteur ? Oui ? Bon, nous allons peut-être être obligés de le détruire. Si nous ne trouvons pas un moyen de fuir, la mission sera de toute façon un échec. Et je ne veux pas qu'Apo-machin mette la main dessus.

— Cela ne lui servirait à rien. Il ne connaît pas le code, et il y a un demi-milliard de combinaisons possibles.

— N'y voyez rien de personnel, Carter, mais... *ces gens-là sont plus malins que nous* ! rétorqua durement O'Neil, avant de dire à Skaara : Viens, nous allons chercher une issue. On ne sait jamais...

Le silence retomba. Surpris de ne pas entendre un bruit de pas qui s'éloignait, Daniel rouvrit les yeux. Il vit alors un garde-serpent qui venait d'agripper O'Neil par le bras afin d'examiner sa montre. Son casque était replié. En dépit du symbole doré incrusté dans son front, il avait une allure très humaine. C'était un Noir massif, au regard vif et inquisiteur.

— Qu'est-ce que c'est ? demanda le garde. Ce n'est pas un appareil Goa'uld.

A grand-peine, O'Neil réussit à ne pas se dégager brusquement, sous peine d'avoir le bras arraché. En même temps, l'étonnement se peignit sur ses traits quand il se rendit compte que l'homme parlait sa langue, de surcroît d'une façon qui n'avait rien d'hostile.

— C'est une montre, répondit-il après une hésitation. Cela sert à donner l'heure.

Le garde-serpent le lâcha si brutalement qu'il chancela, mais parvint toutefois à demeurer impassible. Jackson, qui le regardait, fut impressionné par son sang-froid.

— D'où êtes-vous ? demanda encore le garde-serpent avec un certain respect.

— De la Terre, répondit O'Neil en se frottant furtivement le bras.

Apparemment, l'information ne se traduisait pas.

— Je ne comprends pas ce mot. D'où venez-vous ?

Daniel soupira. Ah, l'étroitesse d'esprit des militaires ! Tendant le bras, il tapota la jambe du garde pour attirer son attention, puis il dessina dans la poussière le glyphe qui signifiait « Terre ».

Le garde se mit à fixer le dessin.

— Je m'appelle Daniel, et voici Jack O'N...

D'un mouvement brutal de son bâton, le garde

brouilla l'image qui apparaissait sur le sol, puis il s'éloigna à grandes enjambées.

— Sympa, ce type ! ironisa O'Neil.

— Pourquoi a-t-il réagi ainsi, à votre avis ?

— Peut-être que votre dessin ne lui plaisait pas.

Comme toujours inébranlable, O'Neil se tourna vers Skaara.

— Viens, lui enjoignit-il.

Et il tourna les talons, bien décidé à trouver un moyen de s'échapper.

Où faisait-il plus froid que dans ce maudit patelin ? rageait Kawalsky en silence. En Alaska, au cœur de l'hiver, peut-être ? Mais rien n'était moins sûr.

Il avait très mal dormi cette nuit-là, en partie parce qu'il craignait de ne plus jamais se réveiller. De retour sur Terre, il faudrait demander au service des fournitures d'ajouter des couvertures plus chaudes à la liste du matériel.

Il jeta un regard désabusé à ses compagnons couverts de givre qui se pelotonnaient les uns contre les autres, tremblants, frigorifiés.

— Warren ! Warren ! appela-t-il d'une voix bizarrement chevrotante.

A côté de lui, une forme bougea.

— Le soleil... enfin, *les* soleils se lèvent. Ça va se réchauffer.

Des soleils. Car il y en avait bien deux qui s'élevaient sur l'horizon, au centre même du Stargate. C'était quand même un comble d'avoir si froid dans un monde illuminé par deux soleils !

Warren frôla ses lèvres gercées de sa main, comme pour s'assurer qu'elles étaient toujours là, et commenta :

— On ne pourra pas supporter une deuxième nuit comme ça, major.

— Je sais. Le colonel devrait nous envoyer un message radio sans tarder.

— A quelle heure devez-vous prendre la décision de repartir si jamais SG-1 ne revient pas ?

A l'expression de Warren, on devinait aisément qu'il pensait : *Bientôt, j'espère !* Kawalsky se leva et, d'une voix dure, répondit :

— Quand l'Enfer gèlera !

— Cela décrit assez bien notre situation présente, ronchonna Warren.

Kawalsky lui donna un léger coup de coude.

— Nous ne partirons pas sans le colonel, collez-vous ça dans le crâne. (Se tournant vers les deux disques orangés qui noyaient le ciel de leurs rayons dorés, il ajouta :) Allez les gars, levez-vous et brillez bien fort dans le ciel. Encore une belle journée sur la planète Kawalsky !

Sur Terre, dans la salle de conférences, le major Bert Samuels faisait son rapport à son supérieur :

— Mon général, la tête nucléaire est armée. Nous n'attendons plus que vos instructions.

Hammond fit pivoter sa chaise pour regarder dans la pièce en contrebas la Porte scellée par l'iris de titane.

— Combien de temps nous reste-t-il ?

— Un peu moins de cinq heures.

— Bien. Alors attendons encore que ce temps soit

écoulé avant de poser le doigt sur la détente, d'accord?

— Oui, mon général!

Samuels exécuta un salut.

Toutes les entrées — et il y en avait beaucoup — étaient gardées. Des gardes-serpents sans visage, avec leurs masques blindés, se tenaient devant chaque porte. O'Neil, Carter, et même Jackson s'étaient dispersés pour tâcher de trouver une issue éventuelle. Quant à Skaara, il restait sur les talons de celui qu'il considérait comme son héros.

— Sha'uri est... morte? demanda-t-il à O'Neil, alors que ce dernier sondait un bloc de pierre en le tapotant de l'index.

— Oui. Enfin, non... Tu vois Skaara, je n'en sais rien.

— Nous devons la sauver. Toi, tu es un grand guerrier.

— Mais tu as vu à quoi nous nous mesurons?

Skaara secoua la tête d'un air obtus, et le colonel capitula dans un soupir :

— O.K., nous essaierons.

Un mouvement se créa à l'extrémité de la salle, au moment ou deux grandes portes s'ouvraient. Une escouade de gardes-serpents se fraya un chemin à travers la foule. Derrière eux venaient des dignitaires par groupes de trois : un couple homme/femme aux yeux luisants, flanqué d'une troisième personne dont le regard ne brillait pas, mais dont les pans du vêtement laissaient entrevoir le ventre percé d'une fente.

Le commandant de l'escouade était celui qui s'était intéressé un peu plus tôt à la montre d'O'Neil. De tous les gardes, lui seul découvrait son visage humain.

— *Shaka, ha! Kree hol mel, Goa'uld.*

Parmi la foule, certains captifs parurent comprendre ces paroles sibyllines. Ils se regroupèrent en file indienne, dociles, comme s'ils avaient répété plusieurs fois déjà la manœuvre. Pourtant, il était manifeste qu'ils avaient peur, non seulement des gardes masqués, mais encore plus des dignitaires que ceux-ci escortaient.

— Qu'a-t-il dit ? demanda O'Neil à Skaara, tandis que Carter et Jackson profitaient du mouvement de cohue pour les rejoindre.

— Ils vont choisir.

— Choisir quoi ?

— Choisir ceux qui deviendront les enfants des dieux.

Comme Skaara prononçait ces mots, ils aperçurent la fin de la procession : des gardes-serpents qui portaient sur leurs épaules un palanquin. Lorsqu'ils s'immobilisèrent, le rideau s'écarta et l'on vit apparaître Apophis et Sha'uri.

La jeune femme portait cette fois une robe multicolore faite de longs pans de tissu arachnéen qui voletaient doucement autour de son corps, de longues boucles d'oreilles en argent, ainsi qu'une coiffe compliquée incrustée de pierreries. Ses yeux, tout comme ceux d'Apophis, étaient soulignés de khôl et ne reflétaient pas la moindre émotion.

— Sha'uri ! souffla Daniel. Jack, aidez-moi ! Je vous en prie !

O'Neil le ceintura vivement pour l'empêcher de se jeter sur les gardes-serpents qui se dressaient entre lui et sa femme.

— Non, Daniel ! Vous ne pouvez pas l'aider.

L'un des gardes brandit son bâton pour signifier à O'Neil et aux membres de son équipe qu'ils devaient eux aussi entrer dans les rangs.

Le commandant de la garde, très solennel, se campa devant la foule de prisonniers :

— *Benna ! Ya wan, ya duru !* leur ordonna-t-il, avant de traduire : Agenouillez-vous devant vos maîtres !

Des centaines de gens tombèrent à genoux. Le regard du commandant croisa celui d'O'Neil. Lentement, le colonel s'agenouilla, imité par Carter. Jackson s'effondra presque à leur côté. Seul Skaara osa rester debout, défiant du regard l'homme aux vêtements dorés qui lui avait volé sa sœur.

— Skaara ! jeta O'Neil.

Finalement, à contrecœur, Skaara se baissa lui aussi.

Les dieux aux yeux luisants se dispersèrent alors pour longer les files de captifs, s'arrêtant de temps à autre pour examiner de plus près l'un d'entre eux. Tels des souverains, Apophis et Sha'uri présidaient la cérémonie.

L'air pensif, l'un des dignitaires s'arrêta devant O'Neil pour lui toucher le visage et lui bouger la tête. Il toléra cet examen attentif, dents serrées, priant pour que Skaara ait le bon sens de garder le silence.

Les gardes-serpents surveillaient la foule, prêts à intervenir avec leurs bâtons au cas où un prisonnier aurait été assez stupide pour se rebeller.

Finalement, le dignitaire s'éloigna. O'Neil ne put réprimer un frisson de soulagement. Mais ce n'était pas fini. D'autres s'approchaient, et rien ne disait qu'ils ne reporteraient pas leur choix sur lui.

Une femme étudia pensivement Carter avant de se détourner avec un grognement de dépit. Puis un couple s'arrêta devant Daniel qui était prostré à terre, le front dans la poussière. L'homme le saisit par les cheveux et lui releva la tête pour voir son visage en pleine lumière.

O'Neil retint alors son souffle en apercevant les larmes qui roulaient sur les joues de son ami. Les dignitaires parurent eux aussi impressionnés. L'homme frôla la joue humide de sa victime, puis se tourna vers sa partenaire.

— Celui-ci a l'air trop émotif, dit-il.

Horrifié, O'Neil entendit Daniel s'adresser à l'homme :

— De quoi me souviendrai-je si vous me choisissez ?

— Daniel, qu'est-ce qui vous prend ? chuchota O'Neil.

Mais il avait déjà compris ce que l'égyptologue avait en tête. Lui-même se rappelait nettement avoir prononcé certaines paroles il y a peu de temps : « Je ne me pardonnerai jamais, mais parfois, il m'arrive d'oublier. » Daniel cherchait l'oubli. A moins qu'il n'essaie de se rapprocher de Sha'uri ?

— Répondez-moi ! cria Daniel en se redressant d'un bond.

Le plus proche des gardes-serpents le frappa en plein visage du bout de son bâton, tandis qu'un autre maintenait O'Neil en respect en pointant la hampe dans sa direction.

Non loin, sur son trône doré, Sha'uri observait la scène avec une totale indifférence.

Daniel se tourna vers elle un bref instant, avant de clamer d'un ton désespéré :

— Il doit pourtant bien subsister quelque chose de l'hôte qui vous abrite... ?

Le mâle qui se tenait à sa hauteur lui décocha un long regard, puis secoua lentement la tête. L'ombre d'un sourire effleura ses lèvres lorsqu'il répondit :

— Non. Il ne reste *rien*.

Ses yeux se mirent à luire. Soudain il écarta Daniel de son chemin pour s'approcher de Skaara.

— C'est *lui* que nous choisissons, décréta-t-il.

Deux gardes-serpents s'avancèrent pour se saisir du garçon qui poussa un cri de protestation. O'Neil tenta de s'interposer, mais un garde le frappa et le jeta à terre, tandis que les autres entraînaient Skaara qui se démenait comme un beau diable.

Apophis se leva au côté de Sha'uri et, l'instant d'après, la cérémonie fut terminée. Les dignitaires et leurs esclaves humains se regroupèrent autour de leurs souverains. Apophis se tourna vers le commandant de la garde.

— Tuez les autres, dit-il.

Pendant un instant, le sens de ces mots ne pénétra pas la conscience d'O'Neil. Puis il vit les portes se refermer sur Apophis, Sha'uri et les dignitaires, tandis que l'escouade de gardes se dirigeait vers la foule, leurs bâtons de mort déjà chargés en énergie.

Pêle-mêle, des images de massacres vues à la télévision ou dans les journaux défilèrent dans le cerveau d'O'Neil : Amritsar, Katyn, tous les camps de concentration... La mise à mort systématique d'innocents qui ne pouvaient se défendre... Non, il ne le permettrait pas !

Au-dessus des visages paniqués des prisonniers, son regard croisa celui du commandant de la garde, le seul qui, jusqu'à présent, avait démontré un semblant de sympathie envers la race humaine.

Les autres gardes s'alignèrent avant d'armer leurs bâtons. Un bourdonnement menaçant s'éleva, couvrant les cris épouvantés des prisonniers.

O'Neil fixait toujours le grand Noir avec qui il essayait désespérément de nouer une sorte de contact. La foule reculait, terrifiée, et sous la poussée de cette marée humaine le colonel manqua trébucher.

— Je peux sauver ces gens... si vous m'aidez! hurla-t-il soudain dans une ultime supplique.

— Ils sont nombreux, ceux qui m'ont dit cela avant toi..., répondit le commandant.

Le garde le plus proche d'O'Neil émit un ricanement. Puis le rayon de mort jaillit d'un bâton dans une lueur aveuglante.

L'espace d'un instant, O'Neil se demanda pourquoi il ne ressentait rien, puisqu'il était forcément mort. Puis il vit le corps du garde-serpent basculer sur lui.

— ... Mais tu es le premier que je crois! acheva alors le commandant en lui lançant son arme d'un geste vif.

O'Neil ne perdit pas de temps à s'interroger. Il saisit le bâton au vol, l'arma et visa un garde. De son côté, le commandant s'empara du bâton de celui qu'il venait de foudroyer et se mit à tirer par-dessus la foule hurlante. Le rayon ultra-puissant ricocha sur les murs, creusant des trouées béantes dans les parois par lesquelles jaillit soudain la lumière extérieure.

Carter se mit à courir en faisant signe aux prisonniers d'évacuer le plus vite possible, pendant qu'O'Neil et le commandant les couvraient de leurs tirs nourris, exterminant les gardes-serpents totalement pris au dépourvu par ce brusque revirement.

Lorsque le dernier prisonnier eut quitté l'enceinte, O'Neil consulta sa montre. Il ne leur restait plus que de précieuses minutes avant que, sur Terre, l'iris soit scellé à jamais!

— Par ici! lança-t-il au commandant.

Celui-ci lui retourna un regard hébété, avant de baisser les yeux sur les cadavres recroquevillés à terre de ses ex-camarades massacrés.

— Je n'ai nulle part où aller, murmura-t-il.

En changeant de camp, l'homme avait signé son propre arrêt de mort. Mais O'Neil le considérait désormais comme un membre de son équipe.

— Tu as ta place chez moi. Allons-y ! intima-t-il.

L'autre demeura immobile, comme s'il n'osait pas vraiment le croire. Puis il arracha son casque et sa cuirasse, les balança sur les corps des gardes, et suivit O'Neil à travers l'une des brèches du mur.

Daniel les attendait de l'autre côté.

— Ça va ? lui demanda O'Neil, haletant.

Daniel se contenta de hocher la tête d'un air hagard. O'Neil se tourna alors vers son nouvel allié :

— Quel est ton nom ?

— Teal'c.

— Teal'c, où ont-ils emmené Skaara ? Le garçon qui était près de moi ?

— Au Stargate. Après avoir choisi des hôtes pour abriter leurs enfants, les dieux vont rentrer chez eux.

— Pas si nous arrivons là-bas les premiers ! lança O'Neil d'un air déterminé.

11

Dans la salle du Stargate, Hammond et Samuels, debout au pied de la rampe, fixaient le Stargate silencieux. Près d'eux brillait un cylindre de métal accouplé à un compte à rebours digital : la bombe.

— Mon général, il reste un peu moins d'une heure avant l'échéance. Ils auraient déjà dû nous contacter, dit Samuels d'un ton presque triomphant, comme s'il avait prévu l'échec de la mission depuis le début.

Le regard de Hammond ne quittait pas le Stargate, comme s'il avait le pouvoir de l'activer par sa seule volonté.

— Il peut se passer beaucoup de choses en une heure, major.

58:19.

58:18.

O'Neil regarda sa montre une fois de plus avant de remonter la file d'une quarantaine de personnes que lui et Carter conduisaient dans la montagne, loin de Chulak.

— Il nous reste moins d'une heure, annonça-t-il. Comment ça se passe ?

Teal'c, qui avait suivi O'Neil, scruta d'un air méfiant la forêt environnante.

— Ils vont se lancer à notre poursuite et nous tuer, prédit-il d'un ton lugubre. Tous ceux dont l'existence n'est pas entièrement vouée au service des dieux sont considérés comme des ennemis.

— Et toi, là-dedans ? lui demanda O'Neil de but en blanc.

— Moi ? Je suis un Jaffa. Elevé pour les servir, les protéger et leur permettre de vivre.

Le ton était neutre, comme s'il récitait une leçon apprise depuis longtemps, même s'il la détestait.

— Je ne comprends pas, avoua Daniel.

O'Neil lui jeta un regard surpris. Voilà que l'égyptologue retrouvait sa curiosité habituelle ! C'était bon signe, car cela signifiait qu'il sortait de l'hébétude dans laquelle il était plongé jusqu'à présent. O'Neil n'aurait jamais cru qu'un jour il se réjouirait d'entendre un scientifique poser une question !

Teal'c s'arrêta pour ôter une partie de son armure, puis il entrebâilla sa tunique. Par la fente qui barrait son ventre, un petit verre blanc translucide pointa la tête, en se tortillant et en geignant comme un bébé grognon.

Dans un réflexe, O'Neil pointa aussitôt son bâton sur la « chose ».

— Qu'est-ce que c'est que ça ? s'exclama-t-il.

— Un enfant Goa'uld. La forme larvaire des dieux. J'en porte un depuis l'enfance, comme tous les Jaffas.

Le ver se rétracta à l'intérieur du ventre et Teal'c referma sa tunique.

— Hé ! débarrasse-toi de ce truc ! s'écria encore O'Neil, écœuré par ce qu'il venait de voir.

Mais, sans se départir de son calme, Teal'c se remit à marcher.

— Un Jaffa porte l'enfant Goa'uld jusqu'à maturité et, en échange, il bénéficie d'une santé de fer et d'une longue vie. Si je m'en débarrassais, je risquerais de mourir.

— Eh bien, si j'étais toi, je tenterais quand même le coup !

Stoïque, Teal'c secoua la tête.

— Tu as compris, n'est-ce pas, que le garçon que tu cherches n'existe plus ?

— Je ne veux pas entendre parler de ça ! décréta O'Neil, qui s'empressa de changer de sujet : Pourquoi as-tu décidé de nous aider ?

— Parce que, de tous ceux qui sont passés ici avant toi, tu es le seul dont les pouvoirs approchent ceux des Goa'ulds.

— De quels pouvoirs parles-tu ?

— Tu es fort, peut-être suffisamment pour les détruire.

Ils furent soudain alertés par des cris qui fusaient de la file de fugitifs. Levant les yeux, ils aperçurent au loin dans le ciel un vaisseau, semblable à un immense planeur, qui prenait de l'altitude au-dessus de la forêt. Bientôt, le véhicule se dirigea vers la colline sur laquelle était installé le Stargate et que les fuyards tentaient d'atteindre.

— Dépêchons-nous, Skaara est sûrement à bord de ce machin ! s'écria O'Neil.

— Ce garçon n'est plus celui que tu as connu, objecta Teal'c en secouant la tête.

— Tais-toi !

Dents serrées, O'Neil reprit l'ascension de la colline au pas de course. Dans son dos, Daniel s'enquit tout à coup :

— Ce processus est-il réversible ? Un hôte peut-il redevenir humain ?

Teal'c se tourna vers le scientifique et, graduellement, son expression se modifia pour traduire son étonnement. Visiblement, cette idée ne lui avait jamais traversé l'esprit auparavant.

— Je n'en sais rien, avoua-t-il.

Le chemin devenait de plus en plus escarpé. Les fugitifs peinaient, leur respiration formant de petits nuages de vapeur blancs dans l'atmosphère glacée. Carter accéléra encore l'allure pour parvenir à la hauteur de Teal'c.

— Je dois vous remercier, lui dit-elle. Vous nous avez tous sauvés. Sans vous, nous serions morts.

— Les Goa'ulds sont des conquérants, rien de plus. Ils ne méritent pas qu'on les vénère ni qu'on se sacrifie pour eux. Ce ne sont pas de vrais dieux. De nombreux Jaffas pensent même que ce ne sont pas eux qui ont inventé les Stargates.

Soudain, un grondement assourdissant emplit l'air, et le sol se mit à vibrer à l'approche du vaisseau ennemi. Paré pour le combat, celui-ci fonçait à toute vitesse dans l'intention manifeste de bombarder les fuyards.

— Vite, tous à l'abri ! hurla O'Neil. Cachez-vous dans la forêt !

Le vaisseau rasa le sentier en vrombissant. Plusieurs sifflements déchirèrent l'atmosphère, et une série d'explosions retentit. Des cris fusèrent, tandis que des mottes de terre et des branchages volaient en tous sens.

Daniel plongea à couvert, entraînant avec lui une

femme et un homme vêtus de peaux de bêtes. Mais l'homme se redressa et se mit à grogner d'un air féroce en regardant le ciel.

O'Neil et Teal'c essayèrent de riposter à l'aide de leurs bâtons, mais les rayons restaient sans effet contre la coque du vaisseau qui était en train de pivoter dans le ciel afin de revenir à la charge.

Debout devant le Stargate, Apophis regardait les filets de fumée qui s'élevaient de la forêt. Souriant, il écoutait les cris des victimes qui agonisaient. Près de lui se trouvaient une poignée de gardes-serpents, ainsi que trois humains « élus », dont Skaara. Ces derniers écoutaient eux aussi les bruits d'explosion et les hurlements, mais leurs traits ne trahissaient aucune émotion.

Dans le ciel, le bombardier plana un instant, avant de foncer vers la ligne de fugitifs qui s'efforçaient de gagner le sommet de la colline.

A cet instant, la Porte s'ouvrit.

Kawalsky et le SG-2 s'étaient mis en position à flanc de montagne. Warren épaula son lance-missiles et le pointa sur le vaisseau ennemi.

— On attend... On attend, souffla Kawalsky qui scrutait le paysage alentour à l'aide de ses jumelles.

Plus bas, sur le sentier, Carter hurla à O'Neil :

— Mon colonel, on ne peut pas rester comme ça à se faire mitrailler. On n'est que de la chair à canon, ici !

Il fallait bien admettre qu'elle avait raison. O'Neil se tourna vers Teal'c :

— Tu as une idée à nous donner ?

Teal'c secoua la tête.

— Maintenant! FEU! hurla Kawalsky.

Le missile jaillit, décrivit un cercle en l'air avant de frapper de plein fouet le vaisseau qui passait à basse altitude au-dessus de la forêt. L'explosion illumina le ciel d'une lueur orangée. O'Neil saisit Teal'c par le bras et le jeta à terre au moment où la carcasse métallique percutait le flanc de la montagne et explosait de nouveau dans une gerbe de flammes. Aussitôt, une épaisse fumée noire s'éleva du point d'impact.

Les militaires terriens poussèrent une clameur de triomphe.

Debout au sommet de la colline, Apophis ouvrit la bouche et ses yeux se mirent à luire. Son visage refléta l'expression d'une rage démente.

— *Jaafa, kree Chaaka Ra!* gronda-t-il en se tournant vers ses compagnons.

Deux « parents » Goa-ulds s'inclinèrent devant leur chef. Puis, entraînant leur nouvel « enfant » — l'humain transformé en hôte —, ils franchirent le disque de lumière bleutée et furent happés par la galaxie.

Apophis saisit le bras de Sha'uri. Sur un dernier regard au rideau de fumée qui masquait la carcasse du vaisseau, ils franchirent eux aussi la Porte.

Les autres Goa-ulds attendirent leur tour en regardant la montagne qui brûlait.

O'Neil venait de rejoindre Kawalsky sur l'éboulis de rochers.

— Beau tir, commenta le colonel. Combien sont arrivés jusqu'au Stargate?

— Un peu plus d'une douzaine. Plusieurs sont déjà passés par la Porte. De loin, nous les avons surpris en train de choisir leur destination. Avec les jumelles, nous avons réussi à voir les premiers symboles, puis le vaisseau vous a attaqués et... il a bien fallu intervenir.

— Skaara ?

— Il est avec eux, dit Kawalsky dans un souffle.

Sans rien ajouter, O'Neil entreprit de gravir la dernière portion du sentier qui menait au Stargate.

— Mais... mon colonel ! protesta en vain le major.

— Il nous reste peu de temps avant que l'iris ne soit verrouillé !

O'Neil glissait, trébuchait, sans cesser de courir. Finalement, lorsqu'il déboucha sur le plateau, il restait devant la Porte deux gardes-serpents, deux Goa-ulds, ainsi que le garçon qu'il avait adopté dans son cœur. Les créatures le regardèrent approcher avec un air d'indifférence suprême.

O'Neil s'immobilisa. Personne ne retenait Skaara, aucun lien n'entravait sa liberté. Il semblait être là de son plein gré. Brusquement son visage s'éclaira et, soulagé, O'Neil lui rendit son sourire, persuadé qu'il avait enfin réussi à rétablir le contact.

— Skaara ?

C'est alors que les yeux du garçon se mirent à flamboyer.

— Oh non ! Skaara !

Il n'eut pas le temps de réagir. Skaara leva la main droite sur laquelle s'enroulait le bracelet à tête de serpent. Un rayon d'énergie jaillit et frappa O'Neil en pleine poitrine, le soulevant de terre. Il retomba une dizaine de mètres plus loin, sur un lit de gravier.

A moitié assommé, il se redressa et vit Skaara se détourner lentement pour franchir la Porte. Le disque de lumière l'avala, et l'instant d'après il avait disparu.

12

Kawalsky, Jackson et Carter furent les premiers à rejoindre O'Neil. Teal'c scrutait l'horizon comme s'il s'attendait à des représailles imminentes. Kawalsky le surveillait d'un œil méfiant. Il ne faisait pas confiance à cette créature, en dépit de l'attitude d'O'Neil et de Carter.

— Vous avez vu les symboles qu'ils ont utilisés ? demanda Daniel, fébrile.

O'Neil secoua la tête.

Soudain Warren et un autre soldat donnèrent l'alarme :

— Des ennemis ! Ils sortent de la forêt !

A l'orée du bois, ils aperçurent des guerriers armés de bâtons qui émergeaient des arbres. Les membres du SG-2 ouvrirent aussitôt le feu et la riposte ne se fit guère attendre.

Kawalsky fit claquer ses grandes mains :

— O.K. les gars, on a de la compagnie ! Daniel, vous feriez bien de vous activer un peu pour faire marcher ce Stargate pendant que nous nous occupons de nos invités !

Courbé en deux, Jackson courut jusqu'à l'autel de

pierre qui servait de panneau de contrôle. Il tressaillait chaque fois qu'une fusillade éclatait ou qu'un rayon de mort déchirait l'air. Sans plus se préoccuper de lui, Kawalsky poursuivit :

— Capitaine, amorcez les mines. Warren, Casey et moi, nous allons rester pour vous couvrir et nous serons les derniers à partir.

— Négatif ! intervint O'Neil. C'est *mon* boulot. Capitaine Carter, allez plutôt aider Daniel. Dès que vous aurez envoyé le signal, retournez sur Terre et prévenez-les que nous leur amenons des touristes.

Carter acquiesça et, la mine sombre, s'empressa de rejoindre Jackson. Partout, on entendait le crépitement des rayons de la mort. L'ennemi approchait. Bientôt, plusieurs éclairs éblouissants frappèrent le sol, non loin du Stargate. De sa position avancée, Warren cria :

— Nous n'allons pas pouvoir les retenir très longtemps, mon colonel !

— Retranchez-vous ! Retranchez-vous ! leur enjoignit O'Neil.

Les militaires adoptèrent une position défensive tout autour de la Porte. Sur l'autel, Jackson toucha un symbole qui se mit à briller.

— Envoyez le signal dès que la Porte sera ouverte, capitaine, dit-il à Carter.

Par-dessus son épaule, il lança un regard anxieux à ses amis qui tiraient sur tout ce qui bougeait. La terre se mit à trembler, et un scintillement bleu envahit la Porte.

Sur Terre, dans la salle de contrôle, Hammond faisait les cent pas. Il regardait le décompte qui se rapprochait de zéro. Il ne voulait pas voler une seule seconde à ses hommes.

Un technicien l'interpella :

— Mon général, la Porte est en train de s'ouvrir, mais nous n'avons toujours pas reçu de signal.

— Mon général... commença Samuels d'un ton pressant.

Hammond prit une profonde inspiration et regarda Samuels qui secouait la tête d'un air navré.

— D'accord. Scellez l'iris, ordonna-t-il.

— Attendez ! Je l'ai ! J'ai le signal, et c'est le bon code ! Ils viennent de partir de l'autre côté !

Hammond rugit :

— Annulez la dernière instruction ! Soldats, tenez-vous prêts !

Fébrile, Jackson poussa les derniers chiffres sur l'émetteur.

— Ça marche ? demanda-t-il.

Un rayon de mort siffla au-dessus de leurs têtes.

— Espérons-le, fit Carter en appuyant fortement sur le bouton de transmission.

Autour d'eux, la bataille faisait rage, l'ennemi était tout près. Lorsque les éclairs lumineux atteignaient le sol, des giclées de terre les éclaboussaient et leur cinglaient le visage. Carter se jeta à plat ventre et, commençant à ramper, lança à Jackson :

— Donnez-moi quelques secondes, puis commencez à faire passer tous ces gens !

Comprenant que la voie était enfin ouverte, O'Neil hurla :

— Faites péter les mines !

Kawalsky tourna le détonateur. Une série d'explosions synchronisées retentit, prenant par surprise les guerriers de Chulak qui avançaient en ligne. Des corps basculèrent au milieu des volutes blanches.

Debout près de la Porte, Daniel faisait signe aux réfugiés de passer le plus vite possible.

— Daniel, si nous ne parvenons pas à retenir les Chulak, vous devrez retourner sur Terre pour demander qu'on scelle l'iris ! cria O'Neil.

Jackson répondit par une sorte de ricanement sarcastique, sans cesser de presser les fuyards. A présent, ils étaient totalement encerclés.

Kawalsky, Warren et O'Neil combattaient l'ennemi, retranchés derrière la structure même de la Porte. Viser ne servait plus à rien, car l'ennemi était partout. Il suffisait de tirer au jugé.

Dans un sursaut de surprise, O'Neil se rendit compte qu'un des derniers fugitifs, l'homme vêtu de peaux de bêtes, lançait des pierres vers la ligne de guerriers Chulak.

Son sang ne fit qu'un tour, et il lui jeta un M-16 :

— Tiens, prends ça !

L'homme inspecta l'arme et émit un grognement interrogateur, avant de la lancer comme il l'aurait fait d'un javelot. Le fusil heurta un guerrier Chulak à la tête et l'assomma pour le compte.

Du moment que ça marche ! songea O'Neil, en assenant une claque dans le dos du Cro-Magnon pour le féliciter :

— Très bien, mon vieux !

Dans la salle du Stargate, Carter guidait les réfugiés vers le bas de la rampe d'accès, tout en repoussant les fusils des militaires qui assuraient la sécurité, et en répondant aux questions de Hammond. Dès qu'une nouvelle silhouette se profilait au centre de la Porte, le capitaine et le général lui jetaient un regard plein d'espoir... et se révélaient déçus chaque fois.

Tous les réfugiés avaient franchi la Porte, sauf le primitif habillé de peaux de bêtes qui avait pris les armes, ou plus exactement les pierres.

— Ça y est, ils sont tous de l'autre côté ! hurla Daniel.

— A votre tour ! répliqua O'Neil sans cesser de tirer.

Après lui avoir lancé un long regard, Jackson obtempéra.

— Casey ! Warren ! Allez-y !

Casey et Warren tirèrent leurs dernières munitions, puis se relevèrent pour bondir vers le disque de lumière. Ils l'avaient presque atteint quand Casey s'effondra dans un cri rauque, l'épaule transpercée par un rayon de mort. Warren stoppa net pour lui prêter secours, mais O'Neil, qui avait vu la scène, lui intima :

— Warren, laissez-le !

A regret, le soldat obéit et plongea au cœur de la Porte pour se fondre dans l'espace.

L'un des guerriers Chulak, qui avait réussi à ramper jusqu'au Stargate, se dressa soudain près de l'autel. O'Neil le vit au moment où il tendait la main vers les symboles. Il visa... Mais le primitif bondit alors avec un grognement sauvage et saisit le guerrier à bras-le-corps. Ce dernier poussa un hurlement lorsque sa cage thoracique craqua sous la pression. Quelques secondes plus tard, une forme blanche et frétillante s'extirpa du ventre du guerrier qui venait de rendre l'âme.

Le primitif lâcha le cadavre et leva le poing vers le ciel, tout en poussant une clameur triomphale. Au même instant, une douzaine de rayons de la mort convergèrent dans sa direction et le foudroyèrent sur place.

— Couvrez-moi ! hurla Kawalsky en se précipitant vers Casey.

Il ramassa le blessé et plongea vers la Porte.

O'Neil et Teal'c comprirent qu'ils étaient les derniers. Se couvrant mutuellement, ils s'élancèrent à leur tour...

— Maintenant ! Verrouillez l'iris ! cria Carter.

L'iris se referma, coupant net la tête d'un guerrier Chulak qui s'était précipité à la poursuite des terriens. Le casque en forme de tête de serpent dégringola le long de la rampe et roula entre O'Neil et Teal'c.

La foule de réfugiés en délire entoura le colonel pour l'étreindre, le toucher, lui presser la main. Certains pleuraient, d'autres parlaient avec animation.

Teal'c demeura au pied de la rampe, seul.

Hammond regarda d'un œil circonspect le guerrier renégat avant d'articuler :

— Pourrais-je avoir quelques explications, colonel O'Neil ?

Avant que ce dernier ne puisse répondre, Carter proposa, en désignant les réfugiés :

— Nous pouvons nous servir du Stargate pour les renvoyer chez eux.

— Mais *celui-ci*, que fait-il là ? insista Hammond sans se laisser distraire.

Encore haletant après sa course, O'Neil répondit :

— Il s'appelle Teal'c, mon général. Et il peut nous aider.

— Mais savez-vous *qui* il est ? reprit Hammond, qui avait reconnu en Teal'c le commandant de l'escadron extraterrestre qui avait attaqué la base.

— Oui, mon général. Il est l'homme qui a sauvé nos vies. Et si vous suivez mon conseil, vous l'intégrerez au SG-1.

La tension latente fut brisée par l'arrivée de l'équipe médicale. Kawalsky, qui était en train de faire du bouche-à-bouche à Casey, s'arrêta une seconde pour attirer l'attention des infirmiers.

— Par ici ! Venez vite !

Comme les infirmiers s'agenouillaient auprès du blessé, Kawalsky se releva et s'écarta un peu. Soudain il vacilla et sa tête roula sur son épaule. Mais tout de suite il se ressaisit et prit appui contre le mur, avant de se redresser comme si de rien n'était.

L'un des infirmiers entreprit de faire un massage cardiaque à Casey, tandis que les autres scandaient :

— Un, deux, trois, quatre, cinq ! Un, deux, trois, quatre, cinq !

— Continuez, n'abandonnez pas ! les encouragea Warren.

Au bout d'une minute, l'infirmier s'arrêta de pomper et, levant les yeux sur Hammond, secoua la tête d'un air désolé.

— Continuez ! Continuez ! s'écria Warren.

Le général lui prit le bras.

— Il est mort, mon gars.

Les infirmiers déposèrent le corps de Casey sur une civière et lui couvrirent le visage à l'aide d'un drap. Warren s'écroula en sanglotant. Hammond se tourna vers Kawalsky.

— Major Kawalsky ?

— Oui, mon général ? fit l'intéressé en se raidissant.

— Colonel O'Neil, major Kawalsky, les unités SG-1 et 2 se réuniront en salle de conférences à 7 h 30, pour un rapport qui, je le pense, ne manquera pas d'intérêt.

— Oui, mon général ! acquiescèrent les deux hommes d'une même voix.

Une fois le général parti, O'Neil s'inquiéta :

— Ça va, Kawalsky ?

Celui-ci se borna à hocher la tête, si bien qu'O'Neil décida de ne pas insister. Chacun réagissait différemment au calme qui suivait la bataille. Si Kawalsky préférait qu'on le laisse tranquille, grand bien lui fasse.

Daniel Jackson, en revanche, semblait avoir du mal à supporter la solitude, et O'Neil partageait ce sentiment. Il alla se placer à côté du scientifique qui ne quittait pas des yeux le Stargate.

— Elle est là-bas, quelque part, murmura le jeune homme, désemparé.

— Je sais. Et Skaara aussi.

— Que pouvons-nous faire ?

Daniel avait l'air misérable. O'Neil lui assena une claque sur l'épaule et répondit d'une voix déterminée :

— Partir à leur recherche !

Un peu plus loin, les techniciens s'entretenaient à tour de rôle avec les réfugiés, pour essayer de déterminer les coordonnées de l'endroit où ils vivaient. Carter et Teal'c rejoignirent O'Neil et Jackson, et tous quatre se tournèrent vers le Stargate, cette technologie merveilleuse et inconnue, presque à portée de la race humaine, qui recelait d'infinis possibilités, aventures et espoirs nouveaux.

Derrière eux, Kawalsky regardait lui aussi le Stargate. Et lui aussi entrevoyait bien d'autres possibilités... avec ses yeux qui luisaient.

5052

Composition Euronumérique
Achevé d'imprimer en Europe (Allemagne)
par Elsnerdruck à Berlin
le 17 septembre 1998.
Dépôt légal septembre 1998. ISBN 2-290-05052-0

Éditions J'ai lu
84, rue de Grenelle, 75007 Paris
Diffusion France et étranger : Flammarion